MORT À L'ITALIENNE

DU MÊME AUTEUR

Série Charlie Salter

1. *The Night the Gods Smiled*, HarperCollins, 1983.
   La Nuit de toutes les chances. Roman.
      Lévis : Alire, Romans 074, 2004.

2. *Smoke Detector*, HarperCollins, 1984.
   Une odeur de fumée. Roman.
      Lévis : Alire, Romans 079, 2004.

3. *Death in the Old Country*, HarperCollins, 1985.
   Une mort en Angleterre. Roman.
      Lévis : Alire, Romans 083, 2005.

4. *A Single Death*, HarperCollins, 1986.
   Mort d'une femme seule. Roman.
      Lévis : Alire, Romans 088, 2005.

5. *A Body Surrounded by Water*, HarperCollins, 1987.
   Morts sur l'Île-du-Prince-Édouard. Roman.
      Lévis : Alire, Romans 093, 2006.

6. *A Question of Murder*, HarperCollins, 1988.
   Une affaire explosive. Roman.
      Lévis : Alire, Romans 098, 2006.

7. *A Sensitive Case*, Doubleday, 1990.
   Une affaire délicate. Roman.
      Lévis : Alire, Romans 105, 2007.

8. *Final Cut*, Doubleday, 1991.
   Mort au générique. Roman.
      Lévis : Alire, Romans 111, 2008.

9. *A Fine Italian Hand*, Doubleday, 1992.
   Mort à l'italienne. Roman.
      Lévis : Alire, Romans 120, 2008.

10. *Death By Degrees*, Doubleday, 1993.

11. *The Last Hand*, Dundurn Press, 2001.

MORT À L'ITALIENNE

ERIC WRIGHT

traduit de l'anglais
par
ISABELLE COLLOMBAT

ALIRE

Illustration de couverture : LAURINE SPEHNER
Photographie : ERIC WRIGHT

Distributeurs exclusifs :

Canada et États-Unis :
Messageries ADP
2315, rue de la Province
Longueuil (Québec) Canada
J4G 1G4
Téléphone : 450-640-1237
Télécopieur : 450-674-6237

France et autres pays :
Interforum editis
Immeuble Paryseine, 3, Allée de la Seine,
94854 Ivry Cedex
Tél. : 33 (0) 4 49 59 11 56/91
Télécopieur : 33 (0) 1 49 59 11 33
Service commande France Métropolitaine
Tél. : 33 (0) 2 38 32 71 00
Télécopieur : 33 (0) 2 38 32 71 28
Service commandes Export-DOM-TOM
Télécopieur : 33 (0) 2 38 32 78 86
Internet : www.interforum.fr
Courriel : cdes-export@interforum.fr

Suisse :
Interforum editis Suisse
Case postale 69 – CH 1701 Fribourg – Suisse
Téléphone : 41 (0) 26 460 80 60
Télécopieur : 41 (0) 26 460 80 68
Internet : www.interforumsuisse.ch
Courriel : office@interforumsuisse.ch
Distributeur : OLS S.A.
Zl. 3, Corminboeuf
Case postale 1061 – CH 1701 Fribourg – Suisse
Commandes :
Tél. : 41 (0) 26 467 53 33
Télécopieur : 41 (0) 26 467 55 66
Internet : www.olf.ch
Courriel : information@olf.ch

Belgique et Luxembourg :
Interforum editis Benelux S.A.
Boulevard de l'Europe 117, B-1301 Wavre – Belgique
Tél. : 32 (0) 10 42 03 20
Télécopieur : 32 (0) 10 41 20 24
Internet : www.interforum.be
Courriel : info@interforum.be

Pour toute information supplémentaire
LES ÉDITIONS ALIRE INC.
C. P. 67, Succ. B, Québec (Qc) Canada G1K 7A1
Tél. : 418-835-4441   Fax : 418-838-4443
Courriel : info@alire.com   Internet : www.alire.com

Les Éditions Alire inc. bénéficient des programmes d'aide à l'édition de la
Société de développement des entreprises culturelles du Québec (SODEC),
du Conseil des Arts du Canada (CAC) et reconnaissent l'aide financière du
gouvernement du Canada par l'entremise du Programme d'aide au développement de l'industrie de l'édition (PADIÉ) pour leurs activités d'édition.

Gouvernement du Québec – Programme de crédit d'impôt pour l'édition
de livres – Gestion Sodec.

PROLOGUE

La Volkswagen Jetta bleue était stationnée contre le mur arrière du motel. Elle appartenait probablement à un touriste, voire à un représentant de commerce – ce n'était pas le genre de voiture qu'aurait pu conduire l'un des clients habituels.

Le réceptionniste releva le numéro d'immatriculation et alla parcourir les fiches remplies par les clients à leur arrivée. La plupart de ceux qui étaient arrivés de nuit avaient rempli le formulaire de gribouillis indéchiffrables et laissé en blanc l'espace réservé au numéro d'immatriculation de leur auto. C'était typique de ce motel. La plupart du temps, les rares touristes ou représentants de commerce qui s'aventuraient dans cette jungle remplissaient correctement la fiche ; mais le réceptionniste ne trouva aucune trace de la Jetta.

La voiture était cachée à la vue des résidents du motel et il ne l'avait remarquée que lorsqu'il avait sorti les poubelles au petit matin. Il avait regardé à l'intérieur et avait constaté qu'elle était vide, à l'exception d'une écharpe de femme sous la lunette arrière et d'un parapluie rayé à manche en bois sur la banquette arrière. Le pare-soleil du siège du conducteur était baissé, comme si le propriétaire avait utilisé le miroir de courtoisie. Les portes et le coffre arrière de l'auto étaient verrouillés.

Après avoir consulté les fiches, le réceptionniste maintint la porte du bureau ouverte afin de pouvoir surveiller l'arrivée du propriétaire du mystérieux véhicule, mais à partir de neuf heures trente, il lui fallut aller vérifier dans les chambres. Il trouva le corps dans la chambre numéro cinq. Il s'agissait d'un homme âgé de trente-sept ou trente-huit ans qui avait dû être de belle apparence. Autour de son cou était enroulé un câble de châssis à guillotine, et le couvre-lit était couvert du sang qui s'échappait de ses blessures. Le réceptionniste referma la porte à clé et appela la police.

CHAPITRE 1

— Vous arrive-t-il d'aller au théâtre, Charlie ? D'aller voir des pièces ?

L'inspecteur d'état-major Charlie Salter se demandait ce qui se cachait derrière cette question. Il était dans le bureau de son supérieur immédiat, un chef adjoint de la police métropolitaine de Toronto. Bien qu'ignorant totalement ce qu'il avait pu faire pour mériter l'une ou l'autre de ces options, il s'était attendu à être réprimandé, promu, mis à la retraite d'office ou transféré à l'Unité de la Marine.

Il avait été convoqué sans aucune explication. Et maintenant, il commençait à avoir l'impression qu'on avait pensé à lui pour mettre en scène un sketch pour le bal annuel de la police.

Je vais demander ma retraite, décida-t-il mentalement. *Avec effet immédiat*.

— Rarement, avoua-t-il.

Mais peut-être qu'après tout, le chef adjoint s'était simplement vu offrir une paire de billets pour le Royal Alexandra Theater et qu'il ne savait pas qu'en faire ?

— Comment est-ce possible ? insista le chef adjoint.

Salter leva les yeux vers son vis-à-vis : il avait déjà oublié la question. Ce matin-là, il avait été réveillé à cinq heures par un oiseau qui avait entonné quelques trilles perçants juste devant la fenêtre de sa chambre. Il avait bien dormi jusque-là et le journal avait été livré, aussi était-il descendu se préparer une tasse de café avant de remonter au lit, histoire de vérifier s'il allait aimer commencer la journée de cette manière. Pas mal, avait-il conclu, bien qu'il préférât boire un verre de jus de fruits avant le café. Et tant qu'à y être, il se dit qu'il pouvait aussi bien manger son toast matinal au lit, ce qui supposait qu'il l'enduise d'abord de marmelade et qu'il veille surtout à ne pas en mettre sur le papier peint ou les draps, parce que si Annie, sa femme, trouvait en rentrant un lit plein de miettes et de confiture, elle se poserait des questions. Annie était à un bon millier de kilomètres de Toronto, sur l'Île-du-Prince-Édouard, où elle était allée rendre visite à son père terrassé par un accident vasculaire cérébral.

Quand le soleil avait commencé à darder ses rayons par la fenêtre de la chambre, Salter était en train de songer à la pêche – la saison du doré jaune allait bientôt ouvrir – et à la façon dont, au Canada, le printemps pouvait en une seule nuit faire revivre un pays anéanti par l'hiver en lui insufflant sons et parfums. Il tenta de se rappeler les mots de l'un des rares poèmes qui l'eût jamais touché, «A field of light» de Theodore Roethke, parce que ces vers lui avaient fait comprendre comment fonctionne la poésie et parce que la renaissance qui y était évoquée survenait exactement de la même manière chaque année, des matins comme celui-ci. Une fois encore, il se demanda pourquoi tous les grands mythes du printemps venaient de Grèce ou d'autres pays méditerranéens où les prémices du printemps étaient loin d'être aussi impressionnantes qu'au Canada, qui méritait plus que toute autre contrée de détenir le monopole des mythes évoquant le spectaculaire retour à la vie, symbolisé par l'afflux de sève dans les érables. Salter souhaita qu'Annie fût là, au lit, près de lui, puis huit heures sonnèrent, et il fut en retard.

— Comment se fait-il que vous ne soyez pas allé souvent au théâtre ? répéta le chef adjoint.

Eh bien, parce qu'il n'y en avait pas à portée de la main, sans doute, répondit intérieurement Salter.

Ne se sentant nullement obligé de se justifier, il se contenta de hausser les épaules.

— On dirait bien qu'il va falloir que je m'y mette, biaisa-t-il. Mon fils cadet veut devenir acteur. Il croit d'ailleurs qu'il en est déjà un.

— Dans ce cas, vous ne connaissez pas ce type ? lui demanda le chef adjoint en lui montrant une photo découpée dans un journal.

— C'est Alec Hunter, répondit Salter.

Le chef adjoint acquiesça.

— Eh bien, il est mort. Vous étiez au courant ?

— J'en ai entendu parler, en effet.

Qui aurait pu l'ignorer ? Alec Hunter avait été retrouvé poignardé et ligoté dans un motel situé au bord du lac. Au moment de sa mort, il venait tout juste de laisser tomber le rôle principal d'une création théâtrale canadienne, rôle qui lui avait valu un certain succès et qu'il avait abandonné en raison d'un engagement antérieur pour un film.

— On m'a dit que vous le connaissiez personnellement. Il était dans ce film pour lequel vous avez été consultant l'année dernière, celui dont le scénariste s'est fait tuer.

Salter s'empara de la photo et la tint à bout de bras afin de pouvoir la regarder convenablement.

— Oui, c'est vrai. C'était l'un des figurants ; il jouait un rôle de gros dur. Il n'est apparu que dans une seule scène, où il était censé tabasser le héros.

Le chef adjoint attrapa une coupure de presse.

— Dans cet article, on le dit « célèbre ». Pas comme si c'était un simple figurant.

— Il avait un rôle vraiment secondaire. Je crois qu'il avait deux répliques, pas plus.

— Deux répliques ? Alors pourquoi prétend-on qu'il était célèbre ?

— À mon avis, ça signifie « célèbre dans la région ». Au théâtre. Ici, à Toronto. Pas à la télévision.

— À ce qu'on dit, il jouait le rôle principal, dans cette pièce. Ce n'est pas rien.

— Ah bon ?

Salter essaya de trouver un argument supplémentaire. Il avait dit tout ce qu'il avait à dire sur Alec Hunter, mais son supérieur avait pour habitude de ne pas considérer « je ne sais pas » comme une réponse valable et de reformuler inlassablement sa question, croyant apparemment que si cette dernière était mieux exprimée, elle attirerait la bonne réponse.

— Vous connaissez les journalistes, tenta alors Salter.

— Mais s'il jouait le rôle principal dans une pièce, il ne pouvait pas être un acteur secondaire, non ?

Salter ne répondit rien : il se contenta d'afficher un air perplexe tout en s'autorisant un début de migraine.

Le chef adjoint continua de le fixer, attendant qu'il craque et passe aux aveux.

— Peut-être qu'on n'utilise pas la même terminologie pour le théâtre et le cinéma, concéda-t-il.

Salter hocha la tête avec empressement.

— C'est ce que je crois, dit-il.

— Et qu'est-ce qui justifie cette différence ? reprit le chef adjoint.

C'est juste un style qu'il se donne, songea Salter. *Quand on occupe un rang qui vous confère une certaine*

audience, on peut se permettre de penser à voix haute.
Ce n'est une question qu'en apparence. Le truc à
faire, c'est de le laisser continuer, de lui rendre son
regard, de sourire, et surtout, de se taire.

— Quoi qu'il en soit, ils auraient dû préciser « célèbre acteur de théâtre », non ? poursuivit le chef adjoint.

Salter ne broncha pas.

— Ce que je veux dire, c'est que pour la plupart des gens, « acteur » veut dire « acteur de cinéma », non ?

Salter se taisait toujours.

— Vous dites qu'il n'a eu que de petits rôles dans les films dans lesquels il a tourné ?

— En tout cas, dans celui au tournage duquel j'ai assisté, rectifia Salter.

— Peut-être qu'il était devenu célèbre grâce à d'autres films ? suggéra le chef adjoint.

Surtout, ne pas bouger, songea Salter.

— Bon, j'imagine qu'on a fait le tour du problème, conclut alors le chef adjoint.

Il s'appuya contre le dossier de son fauteuil et sembla attendre une réaction de la part de Salter.

Si par malheur je hoche la tête, pensa Salter, *il va me demander comment ça se fait qu'il jouait un petit rôle alors qu'il était si célèbre.*

La dernière fois que Salter s'était retrouvé dans une situation semblable, il avait quatre ans ; il se faisait taquiner par un oncle tannant qui trouvait amusant de poser toute une série de devinettes insolubles pour un enfant aussi jeune. La différence, c'est que le chef adjoint Mackenzie n'avait pas une once d'espièglerie. Il ne faisait qu'ordonner ses pensées.

Mackenzie hocha alors la tête, estimant être allé au fond des choses.

— Bref. Quoi qu'il en soit, il est mort. Poignardé et étranglé.

— Une histoire de drogue ?

Mackenzie secoua la tête.

— Je ne le pense pas. Il n'en prenait pas et ne semblait pas en faire le trafic.

— De jeu, alors ?

— Pourquoi demandez-vous ça ?

Parce que je m'ennuie, répondit Salter *in petto*. *Parce que même d'ici, je sens le parfum du lilas qui est à l'autre bout du stationnement.*

Pourquoi Mackenzie n'en disait-il pas davantage ? Que lui voulait-il ?

— Parce que c'est l'une des manières dont les gens se font pogner par la Mafia. En perdant de grosses sommes au jeu. Sinon, c'est à cause d'histoires de drogue.

— Pourquoi parlez-vous de la Mafia ?

— J'ai entendu dire que le gars s'était fait étrangler avec une corde ou un fil de fer. C'est la marque de commerce de la Mafia.

— De quelle Mafia ?

Incrédule, Salter cligna des yeux.

— LA Mafia, quoi. Cosa Nostra. « Notre Cause ».

— Ça ne pourrait pas être une bande de Grecs ? Ou de Jamaïcains ? Ou encore de Portugais ?

— Est-ce qu'ils étranglent les gens ?

— Qui donc ?

— Les Grecs, les Jamaïcains ou les Portugais.

— Et pourquoi pas ?

— En effet, Dieu seul le sait, monsieur. Mais quand on entend les mots « étranglé » ou « garrot », on ne pense pas aux Grecs, aux Jamaïcains ni aux Portugais, mais aux Italiens.

— Ah, ah, ah, fit le chef adjoint en expirant et en hochant la tête quatre ou cinq fois. Et c'est là tout mon problème. Tout le monde pense à la Mafia et aux

Italiens, même vous. Bon. Oubliez que vous m'en avez parlé et recommencez avec un bloc-notes tout neuf, OK ?

— Pour quoi faire ?

— Je ne vous l'ai pas annoncé ? Je vous confie l'affaire.

— Le service des Homicides n'existe plus ?

— Bien sûr que oui, mais nous allons nous joindre à eux temporairement.

— Et la « déclaration de principe » ? objecta Salter, qui faisait allusion à une étude à laquelle il travaillait.

— L'enquête est désormais votre priorité.

— Pourquoi ?

— Parce que Marinelli a suggéré que vous vous en occupiez.

Le sergent-chef Marinelli assumait les fonctions de chef du service des Homicides pendant que l'inspecteur était en vacances.

— Vous savez pourquoi, n'est-ce pas ? poursuivit Mackenzie.

Salter fit un signe de dénégation.

— J'étais en congé.

— Je pensais que vous étiez au courant des commérages : après tout, vous saviez que le gars avait été étranglé.

— C'était dans les journaux.

— C'est exact. Voici l'histoire : ce type, Alec Hunter, a été trouvé mort dans un motel il y a trois jours. L'un de nos meilleurs chroniqueurs judiciaires – je vous laisse deviner qui, et vous n'avez droit qu'à trois réponses – a pris contact avec le réceptionniste qui a trouvé le corps, qui lui a révélé que l'équipe des Homicides avait déclaré que ça ressemblait à un règlement de comptes de la Mafia. En fait, ce que notre gars a dit, selon les propos du réceptionniste rapportés par

notre as du reportage, c'est que ça ressemblait au
boulot des Italiens. C'est pour ça que le chroniqueur en
question a intitulé son article « Meurtre à l'italienne »,
en précisant que c'était là l'avis de la police. À partir
de ce moment-là, mon téléphone n'a pas cessé de
sonner. Tous les Italiens de cette ville sont après nous,
du citoyen de base jusqu'au consul, bien que ce dernier ne nous ait pas encore contactés. Ils en ont vraiment
assez d'être montrés du doigt dès que le moindre délit
est commis. Le sergent-chef Marinelli – ce n'est pas
un hasard, vu ses origines – a émis un communiqué
démentant que son gars ait dit quoi que ce soit de ce
genre, dans lequel il insiste sur le fait que la police ne
dispose d'aucun indice permettant de relier ce meurtre
à un groupe ethnique particulier et que si notre type a
évoqué les Italiens, il a aussi mentionné les Portugais,
les Vietnamiens ainsi que quelques autres possibilités.
Mais le réceptionniste n'en démord pas, et il a en
outre affirmé que la chambre avait été louée par un
homme qui avait un accent italien. C'était un détail
que nous ignorions – l'accent, je veux dire –, alors le
journaliste pond une autre histoire dans laquelle il
raconte que Marinelli nie toute implication des Italiens
dans le meurtre et se refuse à tout commentaire lorsque
le reporter lui apprend que le gars avait l'accent italien.
Et maintenant, la moitié de la population – c'est-à-
dire les Italiens – nous traite de racistes tandis que
l'autre pense que nous sommes de mèche avec la
Mafia. Dans son article, le journaliste cite le nom de
Marinelli au moins six ou sept fois. Marinelli est sur
le point d'aller l'étrangler lui-même, mais je lui ai dit
que ça ne nous rendrait pas service. Cela dit, si toutefois il devait vraiment tuer ce journaliste, je lui ai
conseillé d'utiliser un piolet pour qu'on puisse mettre
ça sur le dos de la mafia scandinave. En passant,

Marinelli ne parle même pas italien. Sa famille est venue de Milan avant la Première Guerre mondiale.

— Qui est le policier qui a mentionné les Italiens la première fois ?

— C'est un nouveau. Nouveau aux Homicides, en tout cas.

— Comment s'appelle-t-il ?

— Bardetski. On l'a muté pour que le journaliste ne puisse pas reprendre contact avec lui.

— Alors mettez en place une toute nouvelle équipe, avec un enquêteur noir et la sergente grecque de la Division 55.

— Vous n'avez qu'à vous en occuper. J'ai déjà annoncé aux conseillers municipaux d'origine italienne que j'avais chargé un enquêteur chevronné de coordonner l'enquête, eu égard à la possibilité que différentes unités puissent être concernées, soit l'escouade des jeux, l'escouade antidrogue, *et cetera*.

— Est-ce qu'on sait ce qu'il fabriquait dans ce motel ?

— Sa femme ou sa petite amie a affirmé qu'il était joueur et qu'il était certainement allé là-bas pour y rencontrer un créancier quelconque. Elle lui avait donné mille dollars la veille. À sa connaissance, ce soir-là, il était censé rendre visite à sa grand-tante dans une maison de retraite. C'est la dernière fois qu'elle l'a vu. Quand on a trouvé son corps, il n'avait pas d'argent sur lui.

— Et qui l'a trouvé ?

— Ouais, je vois où vous voulez en venir. Toujours le même réceptionniste. Il a eu tout le temps de fouiller dans la chambre et de cacher les mille dollars pendant qu'il nous attendait.

— Qui était ce « nous » ?

— Rien d'important. Deux patrouilleurs. L'agent Dunham et l'agente Perry, tous deux blancs comme

neige. Elle, elle vient juste de terminer sa formation.
Comme je vous le disais, rien d'intéressant. Nous en-
quêtons sur un homicide, et je voudrais insister sur…
au fait, qui connaissez-vous à l'escouade des jeux ?

— Lindstrom et Joe Horvarth. Pourquoi ?

Mackenzie hocha la tête.

— Ils vous diront tout ce que vous voulez savoir.
Joe a beaucoup de contacts.

— Les Homicides doivent avoir fini l'enquête pré-
liminaire, fit observer Salter. Qui d'autre est sur l'affaire ?

— Le sergent Peterman. On va le garder. Mais
allez voir Marinelli. Il vous mettra au courant.

◆

En quittant le bureau du chef adjoint, Salter décida
d'aller humer les lilas de plus près. Il avait presque
déjà oublié l'objet de sa convocation, car tous ses
capteurs étaient tournés vers l'intérieur. Lorsqu'il s'était
réveillé avant l'aurore ce matin-là, il s'était demandé
si son désir pour Annie était un signe de vie ou bien
une réaction à sa peur récurrente de la vieillesse, de
la solitude et de la mort. L'absence de sa femme lui
avait laissé beaucoup de temps – pas exactement
pour réfléchir, mais pour prendre conscience de ce
genre de pensées lorsqu'elles survenaient et pour
chercher à les comprendre, ce qui le plongeait dans
un état méditatif propre à le couper du monde envi-
ronnant. Le fait même d'être seul avait cet effet, mais
celui-ci était accru par la raison du départ d'Annie :
son père risquait de mourir. Quant à sa mère, elle
était devenue incapable de faire face et complètement
dépendante. Les deux belles-sœurs d'Annie avaient
réagi avec un sens du devoir indéniable, mais elles

gardaient leurs distances. Sa mère paraissait penser que c'était à sa fille qu'il incombait de s'occuper d'elle, et les belles-sœurs acquiesçaient en silence. Annie avait donc pris l'avion pour Charlottetown trois semaines auparavant, et il lui semblait qu'elle allait y rester indéfiniment, car elle avait besoin de temps pour convaincre sa mère que son mari et ses fils avaient eux aussi besoin de sa présence.

La mère d'Annie était une ancienne professeure d'anglais ; Salter n'avait aucun lien affectif avec elle. Au début, il lui était arrivé de se dire qu'il l'aimait bien, en dépit de sa manie de commenter tout événement à grand renfort de citations. (Un jour où il se disputait avec ses fils, elle lui avait même déclamé l'épître aux Colossiens, chapitre 3, verset 21 : « Pères, n'irritez pas vos enfants, de peur qu'ils ne se découragent. ») Mais avec le temps, il avait compris qu'elle trouvait son métier embarrassant, inapproprié pour un membre de son clan. Selon elle, les « vrais » hommes étaient dans les affaires, comme son mari et ses fils. Et d'ailleurs, si seulement Salter acceptait l'offre permanente et réitérée de travailler dans les affaires familiales, Annie serait de retour sur l'Île, près de sa mère, où était sa place.

Dès le début, Salter avait résisté à son absorption par la famille Montagu, qui partait du principe que les Salter auraient passé toutes leurs vacances sur l'Île, par exemple. Mais désormais, en cette période de crise, la pression exercée par cette belle-mère fantasque et déterminée était si forte que, pour y résister, Salter avait décidé d'aller jusqu'à renoncer à Annie, tout en espérant qu'on n'en arriverait pas à cette extrémité. Peut-être que cette situation n'était pas uniquement le fait de sa belle-mère à lui ; peut-être qu'il en était toujours ainsi pour tout le monde. Dès que les enfants cessent d'être exigeants, les grands-parents prennent le relais. N'y avait-il aucun répit, aucune trêve possible pour pouvoir vivre une seconde lune de miel, même brève ? Lorsqu'il y pensait, Salter mourait d'envie d'emmener Annie dans cette auberge de l'Oxfordshire où ils avaient débarqué des années auparavant en début d'après-midi ; dans leur chambre emplie du parfum des giroflées qui montait du jardin, ils s'étaient retrouvés dans un lit si moelleux qu'il lui avait fait l'amour à genoux, comme un personnage de Rowlandson, cet illustrateur anglais du XVIIIe siècle.

Salter chercha les lilas, mais il semblait qu'il n'y avait jamais eu de lilas dans le stationnement. Il était encore perdu dans ses rêves, qui n'avaient pas cessé depuis qu'il s'était réveillé, à cinq heures. Des lilas, nom de Dieu. Même le lilas qui avait autrefois fleuri dans le jardin des Salter avait été abattu vingt ans plus tôt.

CHAPITRE 2

Le sergent-chef Marinelli l'attendait dans son bureau. Lorsque Salter arriva, Marinelli sortit dans l'antichambre pour appeler un homme qu'il lui présenta :

— Voici Dick Peterman. Bardetski et lui étaient sur l'affaire jusqu'à ce que Bardetski soit trop bavard. Peterman, je te présente l'inspecteur d'état-major Salter.

Les deux hommes se connaissaient de vue, mais ils échangèrent une poignée de main afin de marquer le début d'une nouvelle collaboration. À ce stade, Salter était prudent. Ce n'était pas la première fois qu'il enquêtait sur un homicide. Il fallait cependant toujours que les circonstances du meurtre soient insolites pour qu'on lui confie l'enquête – à lui plutôt qu'aux enquêteurs habituels –, et à au moins deux reprises, les Homicides s'étaient montrés réticents quant à la nécessité de son engagement, de sorte qu'il avait dû commencer à travailler dans un certain climat d'hostilité. Mais une fois, à la fin d'une affaire, il avait fini en meilleurs termes avec Marinelli qu'au début.

Cette fois-ci, il guettait chez Peterman des signes de son état d'esprit.

— Je comprends que c'est vous qui avez eu l'idée de m'impliquer dans cette enquête, dit-il à Marinelli pour le cas où Peterman n'en aurait pas été informé.

Marinelli saisit immédiatement l'intention de Salter.

— Je l'ai déjà expliqué à Dick. Nous n'avons pas vraiment besoin d'aide, mais le chef adjoint est sous pression et les journalistes sont prêts à traquer Bardetski jusqu'à l'autre bout du pays, alors j'ai demandé du renfort pour qu'on puisse souffler un peu. Quand Mackenzie m'a demandé si j'avais des suggestions, je lui ai dit que vous aviez déjà travaillé avec nous par le passé. Les « missions spéciales », c'est votre créneau, n'est-ce pas, monsieur ?

Le message de Marinelli était plutôt compliqué : premièrement, il affirmait que les Homicides n'avaient pas besoin de Salter et que sa présence dans leur équipe était l'idée de quelqu'un d'autre. Question de solidarité, pour le bénéfice de Peterman. Deuxièmement, il laissait entendre qu'il ne remettait cependant pas en cause le jugement du chef adjoint : les histoires de politique ne le regardaient pas, et les chefs adjoints sont payés pour ça. Troisièmement, Marinelli rappelait à Peterman qu'il préférait Salter à n'importe quel inconnu. Tout cela étant dit, il ajoutait en prime une petite touche de moquerie à l'égard du Centre des missions spéciales que dirigeait Salter, avec l'impertinence d'un commandant de troupe à l'égard d'un collègue qui n'était normalement pas appelé à œuvrer sur le terrain.

— Comment allons-nous fonctionner ? s'enquit alors Peterman. Allons-nous travailler comme une sorte d'équipe ou est-ce que vous vous occupez des journalistes pendant que je me remets au travail ?

Son attitude était plutôt mue par la curiosité que par l'hostilité. Cette situation était inédite pour lui, et il voulait vraiment savoir à quoi s'en tenir.

— Travaillez-vous sur cette affaire à plein temps ? lui demanda Salter.

Marinelli éclata de rire.

— Où étiez-vous récemment, Charlie ? Au cours des dix derniers jours, nous avons eu deux fusillades dans Chinatown, les meurtres d'un sikh et d'un comptable gai et un contrat qu'un membre éminent de la Rosedale Society a mis sur sa petite amie. Tu es sur combien d'affaires, Dick ?

Salter saisit là encore le message : Marinelli avait utilisé son prénom afin de montrer à Peterman qu'il n'y avait pas vraiment de distance entre eux. De fait, le sergent-chef et lui ne s'étaient encore jamais appelés par leurs prénoms.

— Deux pour le moment, répondit Peterman. L'une des fusillades et un paumé qui a été battu à mort dans une maison de chambres il y a deux jours. Avec celle-là, ça fait trois, ajouta-t-il en posant sur Salter un regard vide d'expression qui indiquait clairement que tous les messages avaient bien été captés.

Le policier était prêt à suivre toutes les suggestions des deux autres.

Dans l'ensemble, Salter était plutôt rassuré. À moins que Peterman ne fût un excellent joueur de poker, l'arrivée de Salter dans le paysage n'avait pas l'air de le déranger. C'était un professionnel et il avait effectué son boulot correctement. Son collègue, Bardetski, était à l'origine d'une difficulté passagère due à son inexpérience dans le domaine des relations avec les journalistes – problème qu'il incombait à Salter de résoudre. Ce dernier intercepta le coup d'œil désinvolte que Peterman jeta à sa montre pour lui faire comprendre le peu d'importance qu'il accordait à cette affaire et lui signaler qu'il avait d'autres priorités.

Peterman approchait la quarantaine : il avait les cheveux noirs et le front qui se dégarnissait. Il avait les joues glabres, luisantes et un peu rouges. Il avait des épaules étroites pour sa stature, et un léger embonpoint commençait à s'installer autour de sa taille. Ses cuisses étaient plutôt fortes et il était assez court sur pattes, mais il avait de petits pieds chaussés de souliers impeccablement cirés et reluisants. À moins qu'il ne prît les mesures nécessaires, il aurait d'ici cinq ans un corps en forme de poire surmonté d'un crâne d'œuf.

— Allons dans mon bureau, proposa Salter. Vous pourrez me mettre au courant là-bas. (Il bâilla.) Désolé. Je n'ai pas assez dormi la nuit dernière.

Peterman consulta sa montre, cette fois-ci plus ouvertement.

— Je vous rejoins dans cinq minutes, si vous permettez, dit-il en se levant.

— On reste en contact, hein, Dick? lui lança Marinelli au moment où il franchissait la porte.

Encore un message: Marinelli et Peterman étaient collègues, et Salter était l'étranger.

◆

Avant que Peterman ne se présente, Salter eut le temps de s'installer à son bureau et de mettre de côté le projet sur lequel il travaillait. Il s'agissait d'une étude des relations entre la police et les deux paliers de gouvernement qui l'intéressaient de plus près, soit la Ville et le gouvernement provincial. Il devait analyser les relations existantes ainsi que les changements susceptibles d'y intervenir. Deux faits avaient rendu cette étude nécessaire: l'Ontario venait tout juste d'élire un gouvernement de gauche dont une partie du mandat consistait à éradiquer les inégalités dues aux différences liées au sexe, à l'orientation sexuelle, à la race, à la couleur et à l'appartenance ethnique. Il y avait en outre de grandes chances pour que la ville de Toronto fût prochainement dotée d'un maire de gauche, qui aurait sans doute un programme semblable.

Le deuxième facteur était une information qui émanait d'un groupe de réflexion anglais, et selon laquelle certains policiers gradés de Scotland Yard envisageraient sérieusement de ne pas coopérer avec un gouvernement de gauche, au cas où le parti travailliste viendrait à accéder au pouvoir.

Le nouveau gouvernement de l'Ontario s'était mis au travail avec enthousiasme et déjà, on pressait l'un des ministres du cabinet de démissionner, car il avait interféré dans une affaire judiciaire, non pas pour la raison traditionnelle qui consiste à aider un généreux contributeur aux fonds du parti, mais parce que le jugement qui avait été rendu allait à l'encontre de l'idée qu'il se faisait de la responsabilité sociale. Ce n'étaient pas tous les membres du gouvernement qui comprenaient clairement que les gouvernements ne sont pas au-dessus des lois, même lorsqu'ils agissent au nom des motifs les plus purs, et que plus la fin est louable, plus les moyens mis en œuvre pour l'atteindre doivent être marqués du sceau de la probité.

Conscients des pressions que leur feraient subir leurs nouveaux patrons et se demandant si les Anglais avaient quoi que ce soit à leur apprendre, les supérieurs hiérarchiques de Salter avaient décidé de prendre l'initiative.

— À Toronto, toutes les sortes de groupes et d'individus viennent nous montrer des déclarations de principe exposant leur opinion sur le rôle de la police. Et c'est tout ce qu'ils font : écrire ce genre de paperasses et les présenter dans des conférences. Nous devrions les imiter et publier notre propre déclaration de principe, avait décrété l'un des chefs adjoints.

Il avait donc été décidé que ce document serait élaboré par un groupe de réflexion, et comme il fallait fournir à ce dernier matière à réfléchir, Salter avait été chargé de préparer une étude.

Ce qui n'était pas pour lui déplaire. Il avait découvert qu'il n'avait aucun intérêt personnel à défendre : il pouvait donc lire avec détachement tout ce qui concernait des attitudes situées à des années-lumière de la sienne, notamment celle qui consistait à ne pas coopérer avec le gouvernement. D'une certaine manière, il avait l'impression de redevenir un étudiant chargé de produire un « projet » ou un essai. Par d'autres côtés, il retrouvait le type de tâche qu'il avait aimé faire dix ans auparavant, avant que le départ à la retraite de son ancien chef ne le laissât orphelin. Et là, il trouvait plutôt ennuyeux d'être contraint de s'interrompre pour rattraper les bourdes commises par des collègues dans une enquête sur ce qui allait fort probablement s'avérer un homicide insoluble.

Lorsque le sergent franchit la porte de son bureau, Salter révisa légèrement l'impression qu'il en avait : son léger enrobement lui avait laissé supposer la présence d'une bedaine, mais maintenant, Salter constatait que Peterman avait le poitrail large et qu'aucun bourrelet n'apparaissait au-dessus de sa ceinture. Son torse puissant était comme posé en équilibre sur deux jambes un peu trop courtes s'achevant sur deux petits pieds qui semblaient glisser sur le sol à mesure qu'il avançait vers Salter. Ce n'est qu'une fois assis qu'il eut l'air gauche, incapable ou peu désireux de se carrer confortablement dans le fauteuil. Il restait silencieux, attendant que Salter lui donnât le signal. Lorsque celui-ci lui adressa un signe de tête, le sergent commença l'exposé des faits, sans l'aide de notes. Il s'adressa à Salter d'une voix douce et égale, comme s'il lisait le texte d'un télésouffleur sur le front de son vis-à-vis.

— Alec Hunter. Trente-sept ans, sexe masculin, race blanche. A quitté son domicile à sept heures trente dimanche soir. A été retrouvé mort à neuf heures trente lundi matin. Il a été poignardé à deux reprises et étranglé avec une ligature, un bout de câble de châssis à guillotine. L'autopsie a révélé que c'est la strangulation qui a causé le décès. Les coups de couteau ont probablement été donnés juste avant ou en même temps, mais ils n'ont pas été fatals. Lorsqu'elle a été retrouvée, la victime portait les mêmes vêtements que lorsqu'elle avait quitté son domicile. On n'a trouvé aucune trace de drogues, médicaments ou poison, et la quantité d'alcool présente dans son sang correspondait au vin qu'il avait pris au dîner. On a constaté une légère coupure sur l'arête du nez ainsi que plusieurs petites incisions à l'intérieur de la bouche, derrière la lèvre supérieure, ce qui indique qu'il a pris un coup pendant la lutte. L'heure de la mort remontait de douze à huit heures auparavant.

— Vous voulez dire de huit à douze heures ? intervint Salter.

— Non. Ce sont les mots exacts du légiste, le docteur Vetere, confirma Peterman, qui poursuivit avec un sourire : avec lui, on doit consigner ce genre de créneau en datation historique, du créneau le plus ancien vers le plus récent, comme quand on dit de quatre-vingt-dix avant Jésus-Christ à quatre-vingt avant Jésus-Christ. Il a un style bien à lui, mais son raisonnement se tient ; on ne changera donc rien à cette façon de faire avant son départ.

Salter entrevit une occasion de réduire encore le fossé qui les séparait.

— J'ai connu un médecin qui prétendait qu'il valait mieux se laver les mains avant d'aller pisser, parce

qu'on ne peut pas s'infecter avec sa propre urine,
alors qu'on ne sait jamais où nos mains sont allées
traîner. Je n'ai jamais connu quiconque qui le fasse,
et pourtant ce n'est pas si fou que ça...

— Ils ont dû étudier dans la même université,
commenta Peterman, qui reprit : Hunter a été trouvé
par le réceptionniste. Celui-ci n'est pas entré dans la
chambre : il a vu le corps depuis le seuil et est tout de
suite retourné à la réception pour nous appeler, après
quoi il est resté surveiller le corps jusqu'à notre arrivée. J'ai interrogé le réceptionniste qui était de service
la nuit précédente : il n'avait jamais vu la victime par
le passé. La chambre avait été louée vers huit heures
le dimanche, à un type aux cheveux noirs qui portait
des lunettes de soleil et s'exprimait avec un accent
italien. Ce n'est que lors d'un deuxième interrogatoire
que le réceptionniste m'a parlé de l'accent, après
qu'il en a parlé à la presse. Je lui ai demandé s'il
savait différencier un accent italien d'un accent portugais, grec ou espagnol. Il m'a répondu qu'il n'en
était pas sûr, mais que ça sonnait vraiment italien à
ses oreilles.

— Vous voulez dire qu'il était incapable d'expliquer quelles différences il y a entre ces accents, ou
qu'il était incapable de décrire l'accent du type en
question ?

Salter retrouvait lentement sa concentration de professionnel. Les lilas s'évanouissaient peu à peu.

Peterman le considéra d'un air méfiant.

— Si vous me posiez la question, précisa Salter, je
ne pourrais pas vous expliquer la différence entre
l'accent d'un gars qui vient de Barcelone et celui d'un
gars qui vient de Rome ; par contre, à les entendre
parler, je serais capable de vous dire lequel est Espagnol et lequel est Italien. En fait, ce que je voudrais

savoir, c'est si le réceptionniste a bel et bien dit que le type semblait italien, ce qui est un fait. Je veux dire, ce qu'il a semblé être aux yeux – ou aux oreilles – du réceptionniste, lequel a ensuite admis qu'il pouvait s'être trompé.

— Le réceptionniste a effectivement dit que le client semblait italien. Je ne suis pas sûr de vous suivre, chef.

— Aucune importance. Continuez.

Peterman croisa les pieds au niveau des chevilles et se réinstalla dans le fauteuil.

— Ce type à l'air italien a pris la chambre, qu'il a payée comptant, évidemment. Il a laissé un faux numéro d'immatriculation. Il a déclaré que son auto était immatriculée au Michigan, mais quand nous avons vérifié, il s'est révélé que les chiffres étaient tous faux. C'est la seule personne que le réceptionniste ait vue. Après quoi nous avons interrogé la petite amie de Hunter, Connie Spurling, chez qui il vivait. Elle travaille à son compte comme agent, d'Alec Hunter, entre autres. Elle a déclaré que Hunter était joueur et qu'elle avait dû payer récemment les dettes qu'il avait contractées. La veille du décès, elle lui avait donné mille dollars, et il lui avait clairement dit que c'était la dernière fois qu'il lui demandait de l'aider. D'après elle, il était sincère. Il avait vraiment l'air d'avoir décidé de laisser tomber le jeu. Dimanche soir, il a quitté leur domicile vers sept heures trente, afin d'aller rendre visite à sa grand-tante qui vit dans une résidence de l'Annexe. Nous avons vérifié : Hunter est effectivement passé la voir ce soir-là. Connie Spurling ne l'a pas revu après son départ, et n'a pas non plus eu de ses nouvelles.

— À quoi ressemble cette Connie Spurling ?

— Vous voulez savoir de quoi elle a l'air ? À mon avis ? s'enquit Peterman en souriant. Pas mal. Filiforme, bien peinturlurée. Coriace, aussi. Goûts de luxe. Et dans les dettes jusqu'au cou. Elle a insisté sur le fait qu'elle avait vraiment fait son possible et que ce n'était pas sa faute. J'ai eu le sentiment qu'elle n'avait donné de l'argent à Hunter qu'après maintes pressions. Cela dit, comme elle a fini par lui en donner, elle estime qu'on ne peut pas la blâmer, et c'est là sa vraie préoccupation. Si elle l'avait fait plus tôt, alors peut-être que Hunter serait encore en vie. J'ai aussi trouvé qu'elle avait vraiment l'air amoureuse de lui, en dépit de sa dépendance au jeu. (Peterman marqua une pause.) En tout cas, elle en donnait réellement l'impression. Voilà, c'est tout ce qu'on a. Nous avons commencé nos recherches du côté des Italiens, et c'est là que ça nous a pété à la figure. Après quoi Marinelli a mis Bardetski hors circuit et m'a annoncé que vous alliez prendre le relais. Comment allons-nous procéder ?

— Je ne sais pas encore. Ça a l'air simple, vous ne trouvez pas ? Hunter devait de l'argent à la Mafia. Il va pour le rembourser, mais il se fait quand même tuer. Pourquoi ? Était-il en retard ? Le tueur a-t-il fait cavalier seul ? Hunter a-t-il perdu son sang-froid et l'a-t-il agressé ? Voilà ce que racontent les coups de couteau : le tueur a d'abord eu à se défendre avant d'étrangler Hunter. Peut-être que mille dollars n'étaient pas suffisants ? Peut-être qu'il devait davantage, qu'il a essayé de marchander et qu'il a été tué pour l'exemple ? Pensez-vous qu'on ait une chance de trouver le meurtrier ?

— Non, si le mobile est parmi ceux que vous venez d'énoncer. Le tueur à gages venait probablement du Michigan et à l'heure qu'il est, il y est sans doute retourné. Même s'il appartient à la Mafia de Toronto, il va falloir lui mettre la main dessus pour que les preuves médico-légales puissent nous être d'une quelconque utilité.

— Le labo nous a-t-il déjà transmis son rapport ?

Peterman fit un signe de tête affirmatif.

— Les techniciens ont trouvé des fibres d'une laine bleu marine provenant sans doute du chandail du tueur.

— Avez-vous vérifié si Hunter était fiché à l'escouade des jeux ?

— Je m'en occupe tout de suite.

— Une minute. Avez-vous parlé à l'inspecteur Corelli ?

— Non plus. Je le ferai ensuite.

— Je m'en charge. Je m'occupe des deux. Il faut commencer par là. Pas très prometteur, tout ça, hein ?

— Franchement, chef, je suis content que vous preniez le relais. Vous savez pourquoi ?

— Bien sûr ! C'est une affaire qui passionne le public, et ce journaliste de malheur envisage d'en tirer de la gloire. Cela dit, ça reste une histoire de Mafia, alors quand il sera en panne d'infos, c'est sur moi qu'il écrira ses articles.

— Exactement. On a eu notre part : on vous laisse le reste, ajouta Peterman en souriant.

— En attendant, on n'a pas grand monde à interroger, vous ne trouvez pas ? Si je dois me retrouver dans une impasse, autant qu'on voie que ce n'est pas parce que je n'aurai pas cherché, ajouta Salter comme pour lui-même. Juste pour être sûr, je repasserai sur les pistes que vous avez déjà couvertes – le réceptionniste, Connie Spurling –, et je procéderai à quelques vérifications du côté de Corelli et de l'escouade des jeux.

— Vous voulez que je vous accompagne ?

— Pour quoi faire ? Allez plutôt mettre la main sur ces Orientaux qui passent leur temps à se tirer dessus. Je vous ferai savoir quand j'aurai besoin de vous.

— Parfait.

Peterman se leva ou, plutôt, il glissa de son fauteuil et se mit en équilibre sur ses pieds minuscules.

— En passant… heu… monsieur, j'ai des projets pour ce soir et samedi après-midi. En cas d'urgence, je serai bien évidemment disponible, mais nous avons dépassé la période critique, alors je me suis dit que, s'il n'y a pas d'urgence, je pourrai honorer mes engagements. Pour ce soir et samedi après-midi, je veux dire.

Salter attendit que Peterman lui révèle la teneur de ces engagements. Comme ce dernier restait silencieux, il demanda :

— C'est personnel ?

— Exact.

— C'est très important ?

— À mes yeux, oui.

Et pourquoi ne m'en dit-il pas un peu plus ? pensait Salter. *Il va sûrement à des séances de thérapie de couple. C'est un des passe-temps préférés des policiers.*

Peterman connaissait sans doute trop peu Salter pour lui confier ses problèmes.

— Bien sûr que vous pouvez honorer vos engagements, assura finalement Salter au sergent. Je vais me contenter de continuer sur notre lancée. Je vais m'occuper de ce journaliste jusqu'à ce qu'il nous lâche un peu, après quoi je passerai la main aux gars du crime organisé. Merci de m'avoir prévenu, pour ce soir et samedi. Mais vous savez mieux que moi que je ne peux rien vous promettre.

— Je serai joignable par téléphone. Merci. En passant, prenez garde à Jack Huey, le journaliste. Jensen a joué au hockey contre lui dans l'un de ces matchs amicaux où les contacts physiques sont interdits, à l'époque où Huey était journaliste politique à Queen's Park. Huey était particulièrement vicieux sur la glace.

CHAPITRE 3

L'inspecteur Corelli était le spécialiste maison du crime organisé. À une époque, la police de Toronto disposait d'un civil diplômé en criminologie dont le mandat consistait à compiler toute l'information disponible sur le crime organisé afin de «penser comme la Mafia», pour reprendre ses propres mots, chaque fois qu'on se trouvait en présence d'un crime qui semblait y être lié. Les coupes budgétaires avaient eu raison de son poste et désormais, Corelli était la seule personne-ressource dans ce domaine. Bien que le nom de l'inspecteur laissât supposer, comme pour Marinelli, qu'il était particulièrement bien placé pour ce faire, Corelli était blond et sa famille, originaire du nord de l'Italie, gérait une exploitation maraîchère sise à une soixantaine de kilomètres au nord de Toronto. En outre, à l'instar de Marinelli, il ne parlait pas un mot d'italien.

Salter alla le voir dans son bureau pour lui exposer la situation.

— Ouais, Marinelli m'a mis au parfum, lui déclara d'emblée l'inspecteur. Ça pourrait être l'œuvre de la Mafia, bien sûr, mais la méthode employée paraît un peu bizarre, assez bizarre, en tout cas, pour nous permettre de retrouver le coupable. Vous dites qu'on a

utilisé un couteau et une ligature ? Évidemment, la
Mafia a déjà utilisé ce type d'armes, mais de nos
jours, leur méthode favorite, c'est une balle derrière
l'oreille. Ce truc du garrot est fréquent dans les romans
sur la Mafia, mais je crois que sa popularité vient du
fait que c'est une arme silencieuse. Aujourd'hui, les
armes à feu ont davantage la cote. À mon avis, les
ligatures utilisées au cours des dix dernières années
ont été le fait d'amateurs. Mais bien sûr, un meurtrier
qui voudrait se faire passer pour un tueur de la Mafia
et qui aurait vu trop de films ou lu trop de romans pourrait y recourir. Il pourrait trouver ça... pas « chic »,
mais plutôt « artisanal », comme un beau travail fait à
la main, vous voyez ce que je veux dire ? Pour ceux qui
auraient tendance à considérer un assassinat comme
un « beau travail », en tout cas.

— Vous avez entendu le tollé que ça a déclenché
quand on a prononcé le mot « italienne » ?

— Oui, et j'ai trouvé cette réaction compréhen-
sible. Bardetski est un trou de cul. « Meurtre à l'italienne », nom de Dieu ! Comme me l'a fait remarquer
ma fille, on dirait le nom d'une recette de cuisine.

— C'est peut-être ce qu'il voulait dire : que le
meurtrier avait utilisé une recette italienne...

— Ouais, eh bien, on peut comprendre que ça
nous agace, nous autres, les Italiens !

— Il ne nous reste plus qu'à mettre la main sur un
coupable au nom germanique ou asiatique.

— En attendant, tout le monde considère cet assassinat comme une affaire non résolue liée à la Mafia.

Salter ne répondit rien. Après un moment, Corelli
poursuivit :

— Il est également possible qu'elle soit vraiment liée
à la Mafia et qu'on la résolve une fois que la poussière
sera retombée. Bon. Comment puis-je vous aider ?

Vous voudriez que je téléphone au parrain pour lui demander à quoi il joue ?

— Pourquoi pas ?

Corelli jeta un regard perçant à Salter puis prit le parti de sourire.

— C'est déjà fait, répondit-il. Ou presque : en fait, j'ai appelé un gars qui connaît un gars qui est en contact avec un gamin qui entend des infos et les fait circuler. Jusqu'à présent, aucune piste de ce côté-là. J'ai demandé qu'on prenne contact avec moi s'il y avait du nouveau. Vous savez, il est déjà arrivé plusieurs fois qu'après ce qui semblait être un règlement de comptes entre gangs, ils nous aient fait savoir qu'ils n'avaient rien à voir là-dedans. Personne n'appelle directement Mackenzie pour lui dire « C'est pas nous, chef ! », mais il se trouve toujours un type en marge de la Mafia qui sert à faire passer les messages. On connaît un gars qui tient un petit commerce de nettoyage à sec sur St Clair West : il refuse de vendre son établissement à la Mafia et de lui payer sa « redevance ». En passant, ces gens-là ont de l'humour s'ils imaginent qu'ils pourraient blanchir leur argent dans un établissement de nettoyage à sec... Bref. En temps normal, un gars comme ça se verrait obligé de mettre la clé sous la porte en une semaine, mais la Mafia le laisse tranquille car ce type lui est utile pour transmettre les messages, comme les Suisses pendant la dernière guerre. La Mafia sait que le nettoyeur est honnête et nous le savons aussi, ce qui fait qu'elle peut lui donner des messages à nous transmettre. Bien sûr, on ne peut pas se fier à la Mafia. Si on ne vérifie pas l'information, on risque de se faire piéger : alors on cherche toujours ce qui se cache derrière. Quoi qu'il en soit, ce genre de message, c'est toujours mieux que rien. Il existe quelques autres canaux qu'ils affectionnent pour nous transmettre une info, et ça marche dans les deux sens. Nous connaissons leurs familles, de sorte que je peux parfois soutirer des renseignements à l'un d'eux si nos intérêts coïncident. Évidemment, si je demandais à brûle-pourpoint : « Qui a tué Cock Robin ? C'est toi ? », on me répondrait par la négative, mais parfois, ils ajoutent un élément convaincant. Une fois, un de leurs hommes s'était mis en tête de faire une petite intervention en solo : résultat, il a tué le propriétaire d'une boulangerie sur Dufferin avec une bombe. Nous avons pensé qu'il s'agissait d'une erreur : à notre avis, il voulait juste effrayer le boulanger. Cela dit, de notre point de vue, la Mafia était impliquée, mais nous avons reçu un message affirmant très clairement que nous nous trompions. Nous avons donc cessé de faire la tournée des criminels connus et quelques jours plus tard, on a retrouvé le corps d'un petit mafieux dans un entrepôt. Finalement, nous avions raison, la Mafia et nous : il faisait partie de leur organisation, mais ce jour-là, comme je vous le disais, il travaillait pour lui. La Mafia n'aime pas les pigistes.

— Êtes-vous en train de me dire que notre affaire n'a rien à voir avec la Mafia ?

— Je suis juste en train de vous dire ce que j'ai entendu, et que je considère comme des renseignements probablement fiables. (Corelli poussa un soupir.) Mais à votre place, je n'en tiendrais pas compte. Évidemment que c'est la Mafia.

— Je reviendrai vous voir.

◆

Le sergent Horvarth, de l'escouade des jeux, possédait le genre de physique qui fait rire les enfants.

Vêtu d'un complet bleu ordinaire, il avait l'air de ne pas être en service tant on eût dit que sa tenue de travail devait comprendre un pantalon bouffant, un couvre-chef surmonté d'une hélice et un nez rouge. Son visage rose et blanc était illuminé par des yeux bleus globuleux et affichait en permanence un sourire qui révélait des dents écartées. Il était surmonté d'un tapis de boucles blondes serrées.

— Besoin d'un coup de main ? s'enquit-il dès que Salter apparut devant son bureau.

Ce dernier hocha la tête en se demandant si Horvarth allait lui tendre une main factice. Il se présenta et lui expliqua l'objet de sa visite en lui montrant une photo d'Alec Hunter.

— Je vous en prie, assoyez-vous, chef.

Redoutant la présence d'un coussin péteur, Salter prit place prudemment dans le fauteuil réservé aux visiteurs.

— Je ne l'ai jamais vu, observa Horvarth en examinant la photo. Toutefois, ça ne veut rien dire. Où m'avez-vous dit qu'on l'avait retrouvé ?

— Dans un motel du nom de Days'R'Done, au bord du lac. Selon sa petite amie, il a dû se rendre là-bas pour payer une dette de jeu.

— Hum. Ce motel est bien connu de la police. Avait-il apporté l'argent ?

— Elle pense que oui.

— Dans ce cas, pourquoi l'a-t-on tué ?

— Ça, c'était ma deuxième question.

— Votre première question était « Qui l'a tué ? », c'est bien ça ? Comme ça, a priori, je dirais que ce n'est personne que je connaisse, mais je parierais sur la Mafia. Vous en avez parlé à l'inspecteur Corelli ?

— Il fait son possible pour aller à la pêche aux renseignements. Pourquoi pensez-vous que ce n'est personne de votre connaissance ?

— Ça fait quatre ans que je suis à l'escouade des jeux. Je connais tous les bookmakers sérieux de Toronto et tous les gros poissons qui organisent des jeux. Aucun de mes clients ne commet de meurtre.

— Que font-ils lorsqu'un gars ne les paie pas? Ils appellent une agence de recouvrement?

— Non, même pas. Ils lui coupent son crédit, et c'est tout. Vous savez, l'activité de mes clients repose essentiellement sur la confiance. Ils autorisent une seule dette à chaque joueur: à la deuxième, ils le rayent de leurs listes. Si la dette est importante, ils envoient parfois un «collecteur».

— Pour lui casser les jambes?

— Non. Simplement pour lui expliquer à quel point ce serait embarrassant que le créancier vienne réclamer son dû sur son lieu de travail ou chez lui.

— Vous voulez dire que plus personne ne vient recouvrer des dettes à l'ancienne?

— En fait, mes clients n'ont jamais cassé de jambes. Ce qu'ils font parfois, c'est «vendre» la dette à un escroc et là, oui, le ton peut se durcir. Mais aller jusqu'à tuer ne sert à rien, sauf pour l'exemple. La Mafia le fait. Je sais que vous ne devez écarter aucune piste, mais à mon avis, dans cette affaire, il vous faudra chercher ailleurs que chez les joueurs traditionnels. Qu'en pense Corelli?

— Il n'a aucune certitude. Cela dit, je pense qu'il aimerait que ce ne soit pas la Mafia.

— Moi non plus, je ne suis sûr de rien, mais il est peu probable que ce soit un de mes clients. C'est Corelli le spécialiste, mais j'aurais tendance à croire que cette affaire est plus de son ressort que du mien. Ou alors, c'est personnel, auquel cas ça n'aurait rien à voir avec nos clients habituels.

Horvarth s'empara de la photo que Salter avait posée sur son bureau et l'examina attentivement, ses yeux bleus saillant encore davantage sous l'effet de la concentration.

— Nous savons qu'il jouait, reprit Salter. Avez-vous un moyen d'apprendre qui prenait ses paris ? Ce serait un bon point de départ.

— Je ne pourrai pas vous dénicher un gars qui tienne la route dans un tribunal, mais c'est d'accord, je vais faire ma tournée pour voir si je trouve quoi que ce soit. Cela dit, pas besoin que j'enquête sur le motel : aucune chance de mettre la main sur un de mes clients. Le Days'R'Done est spécialisé dans les affaires de drogue et de prostitution : les gars que je connais n'y vont que pour ces deux trucs-là. Je poserai quand même quelques questions, au cas où. Vous voulez savoir quelles sommes il jouait, la fréquence de ses paris et s'il payait ses dettes ?

— Par exemple.

— Je vais commencer par le champ de courses. J'avais prévu aller y faire un tour demain. J'ai un tuyau pour la septième.

Sa première impression s'estompait, mais Salter n'aurait pas été surpris de recevoir une petite décharge électrique en serrant la main qu'Horvarth lui tendit quand il prit congé.

◆

Salter avait encore une visite à effectuer. Deux fois par le passé, il avait été assisté par un ancien agent d'infiltration de la brigade antidrogue. Ranovic y travaillait toujours, mais à découvert, désormais, et il avait récemment été promu sergent.

Salter commença par le féliciter.

— J'étais obligé d'accepter cette promotion, expliqua Ranovic. Je dois penser à l'avenir.

— Et pourquoi donc ?

Lors de la première affaire sur laquelle ils avaient travaillé ensemble, Ranovic avait été chargé de surveiller des vendeurs de rue dont on pensait qu'ils avaient planifié une manifestation à l'occasion d'une visite royale, et il s'était beaucoup amusé à tenir lui-même un étal. Le jeune policier avait la fibre dramatique, aussi s'était-il retrouvé tout à fait dans son élément à vendre des souvenirs dans Yorkville. Plus tard, lorsque Salter avait eu besoin d'un agent d'infiltration pour une enquête portant sur une histoire de sabotage lors du tournage d'un film, il avait de nouveau fait appel aux talents de Ranovic, qui avait terminé sa mission tellement ébloui par les feux de la rampe que Salter s'était demandé s'il n'allait pas quitter la police pour entamer une carrière d'acteur. Ranovic avait toujours affiché son insouciance, de sorte que sa préoccupation de l'avenir semblait inédite aux oreilles de Salter.

— Ma petite amie est enceinte.

— Comment ça ? Je veux dire... je sais ce que le mot « enceinte » signifie. Cela veut-il dire que vous allez vous marier et enfin rejoindre notre club ?

— En fait, j'aimerais vraiment me marier, mais c'est elle qui ne veut pas. D'après elle, cette grossesse est un accident et elle n'est pas encore prête pour le mariage. En plus, elle ne veut pas quitter son emploi.

— Que fait-elle dans la vie ?

— Elle est comptable agréée.

— Elle veut avorter, alors ?

— Non plus. Elle est pro-choix, mais elle veut ce bébé. De toute façon, il sera bientôt trop tard pour avorter. Et elle veut vraiment ce bébé, et moi aussi. Je veux me marier, mais elle, elle refuse de s'engager. Pour elle, un mariage, c'est pour la vie et ça suppose un engagement. Elle a vu trop de couples comme nous qui se séparaient, et elle se demande si ces déchirements donnent un environnement propice pour élever un enfant. D'une certaine manière, je ne suis pas encore totalement décidé : je me dis que ce serait mieux pour le bébé de grandir avec sa mère plutôt qu'avec deux parents qui ne s'entendent pas. Et comme je vous le disais, elle ne veut pas laisser tomber son emploi.

— Vous allez déménager pour la laisser seule ?

— Non : on va essayer de continuer à vivre ensemble, même si j'ignore combien de temps ça va durer. C'est comme pour une thérapie : chaque fois qu'on en parle, c'est-à-dire tous les jours, de nouveaux éléments émergent et changent toute la donne. Je dois me répéter sans cesse que je veux rester avec elle, quelle que soit notre conversation, que je veux le bébé et que je veux me marier, même si ce dernier point est plus important pour ma grand-mère que pour moi. À mes yeux, peu importe le temps que ça prendra avant de la conduire à l'autel. Je me dis que si on vit ensemble assez longtemps après la naissance du bébé, elle finira bien par accepter qu'on se marie, ne serait-ce que pour des raisons administratives.

— Et quel est le rapport avec votre promotion ?

— C'est que maintenant, je dois penser à ma carrière. Je ne tiens vraiment pas à être un… comment pourrait-on dire ? Un homme au foyer. Or, avec une conjointe comptable agréée, ça aurait été risqué si j'étais resté simple agent. Maintenant que je suis sergent, j'ai une vraie carrière, comme elle : comme ça, quand viendra le temps de prendre une décision, il y aura deux carrières à prendre en considération, et pas seulement la sienne. Ce que j'aimerais vraiment, c'est qu'après la naissance du bébé, je puisse faire des heures supplémentaires pour subvenir aux besoins de ma petite famille, mais je sais que ça ne se passera pas comme ça. Avez-vous connu ce genre de problème ?

Salter secoua la tête.

— À mon époque, nous avons seulement dû nous soucier de nous marier assez vite pour que la famille ne commence pas à compter sur ses doigts le nombre de mois écoulés entre notre mariage et la naissance de notre fils aîné. C'était beaucoup plus simple.

Au début, en tout cas, compléta mentalement Salter, qui se retint de confier à Ranovic que cette simplicité avait fini par s'évanouir pour sa génération aussi, mais que le changement était intervenu bien plus tard. Une fois au stade où la génération précédente s'installait dans les récriminations permanentes ou la résignation, les foyers de ses contemporains s'étaient métamorphosés en véritables forums de discussion où l'on s'efforçait d'endiguer le flot d'informations sur la psychologie et la sociologie qui imprégnait désormais toutes les relations interpersonnelles, notamment au sein du couple. Chaque mot, chaque geste – en particulier lorsqu'ils étaient le fait des hommes – étaient sujets à interprétation et alimentaient des disputes domestiques d'un genre nouveau. Salter avait un jour émis l'hypothèse selon laquelle ces querelles n'étaient qu'une version différente des récriminations d'antan, ce qui lui avait valu les remontrances d'Annie.

Laissant de côté ces considérations psycho-sociologiques, il expliqua à Ranovic ce qu'il attendait de lui.

— Rien ne nous laisse croire que Hunter était consommateur. Mais je sais que ce motel a déjà fait parler de lui pour ce qui est du trafic de drogue, alors j'aimerais que vous vérifiiez si l'un de vos collègues l'aurait déjà croisé.

Ranovic prit la photo que lui tendait Salter.

— Vous avez raison en ce qui concerne le motel. Il s'y passe pas mal de choses, et pas que du trafic de drogue. De la prostitution, aussi. Je demanderai aux collègues. En passant, vous n'auriez pas un conseil à me donner ?

— Ouais, j'en ai un : n'acceptez aucun conseil venant des gens de mon âge, car nous sommes un peu jaloux de vos problèmes, lança-t-il avant de quitter Ranovic.

Peterman l'attendait dans son bureau. Salter lui rapporta ses démarches auprès de Corelli, Horvarth et Ranovic.

— Allez-vous interroger le réceptionniste et la petite amie ? s'enquit Peterman.

— Ce sont les prochains sur ma liste. Comment va-t-elle, la petite amie ?

— Quand je lui ai parlé, elle était sous le choc. Elle avait l'air de penser que j'étais stupide. À mon avis, elle peut nous être utile. Quand allez-vous parler au réceptionniste ?

— Dès que possible. Comment s'appelle-t-il ?

— Claud Arbour.

— Je m'en occupe tout de suite.

Salter appela le motel pour vérifier que ledit Arbour était de service et lui annonça sa visite.

— Je vous accompagne, décida Peterman. Nous devrions en profiter pour passer au crible toutes les fiches des clients, au cas où.

CHAPITRE 4

Pendant le trajet, Salter demanda à Peterman des informations complémentaires sur le motel.

— Il a été bâti il y a quarante ou cinquante ans, avant la construction de l'autoroute Gardiner. À l'époque, les touristes, les représentants de commerce et tous les gens qui venaient des États-Unis et de Niagara passaient par le bord du lac en empruntant l'autoroute 2. Quand l'autoroute Gardiner a été mise en service, les automobilistes ont été détournés vers le centre-ville, de sorte que certains motels situés sur le bord du lac se sont retrouvés en plan. Ils ne récupèrent que les rares touristes qui quittent la route Queen Elizabeth trop tôt ; cela dit, le fonds de commerce du Days'R'Done, c'est le sexe. Dans la journée, les petites vites et le soir, les prostituées. Cette année, nous y avons eu une fusillade et on nous y a rapporté de nombreuses plaintes.

— Et pour la drogue ?

— La drogue était le motif de la fusillade. On avait mis le motel sous surveillance et ces trous de cul ont décidé de se défendre. On n'y trouve que des petits dealers, ceux qui sont obligés d'acheter leur marchandise aux grossistes qui, eux, appartiennent à la Mafia.

— Qu'espérez-vous découvrir dans le registre ?

— Rien de spécial : c'est juste la procédure. J'aurais déjà dû le faire. Ce que je veux, c'est avoir la liste des clients qui se sont enregistrés ce soir-là. Le motel compte douze chambres : le registre nous indiquera probablement que six étaient louées, soit juste assez pour que les inspecteurs des impôts se tiennent tranquilles. Sur ces six clients, quatre seront introuvables. Les deux autres seront des touristes ou des représentants de commerce tout ce qu'il y a de réguliers, mais peut-être que parmi eux, il y aura eu un insomniaque qui aura regardé par la fenêtre cette nuit-là et aura décidé de prendre des photos du ciel étoilé sur lesquelles on verra le meurtrier devant la porte de Hunter, un câble de fenêtre à guillotine à la main.

Salter se mit à rire.

— Quoi qu'il en soit, c'est la procédure.

— Exactement. Il n'y a aucune maison à proximité, de sorte qu'il n'y a aucune porte à laquelle on pourrait frapper pour demander aux voisins s'ils n'auraient pas remarqué un gars mystérieux dans les parages.

Ils stationnèrent leur auto devant le motel, sur une aire de gravier grossier.

— Vous en avez pour longtemps ? s'informa Salter.

— J'aurai fini avant vous, répondit Peterman.

◆

Claud Arbour était un petit jeune homme brun d'une vingtaine d'années : il avait de beaux cheveux noirs brillants soigneusement coiffés de manière à former une sorte de casque. Dès qu'il reconnut Peterman, il bondit pour se mettre debout, désireux de lui rendre service. Peterman lui présenta Salter et lui demanda la liste des clients présents dans le motel la nuit du meurtre. Arbour avait déjà préparé les renseignements en question : il tendit au policier une petite pile de fiches cartonnées maintenues par un élastique.

— J'ai pensé que vous me les demanderiez, expliqua-t-il.

Tout excité, il regardait tour à tour les deux policiers.

— Puis-je m'installer ici pendant qu'il vérifie les fiches ? demanda Salter en désignant l'espace situé derrière Arbour.

Ce dernier regarda par-dessus son épaule : son bureau comprenait trois chaises en plastique aux pieds chromés, un classeur et une table de travail, dont une partie était encombrée par un paquet de sucre, du lait en poudre, une théière et quelques emballages trahissant son goût pour la malbouffe.

— Ce n'est pas génial, s'excusa-t-il en ouvrant la porte située à côté du comptoir pour faire entrer Salter.

Il plaça un fauteuil pour le policier et s'assit en face de lui.

— Depuis quand travaillez-vous ici ? commença Salter.

— Trois mois, environ. Depuis que je suis arrivé de Chicoutimi.

Le jeune homme s'exprimait en anglais avec un accent francophone.

— Vous aimez votre travail ?

— C'est terrible, répondit en souriant Claud. Vraiment terrible, répéta-t-il en croisant les jambes. Mais ça ne me dérange pas. C'est juste en attendant de percer.

— De percer dans quoi ? s'informa Salter, comme son interlocuteur l'y invitait visiblement.

— Je suis un artiste. Auteur-compositeur-interprète. J'écris mes propres chansons, et je m'accompagne à la guitare, précisa-t-il en désignant un étui à guitare

posé dans un coin de la pièce. J'essaie de trouver
quelqu'un qui va m'engager, ou engager un chanteur
pour chanter mes compositions. Dans ce boulot, j'ai
beaucoup de temps pour écrire. Et je rencontre beaucoup de gens bizarres sur qui écrire, ajouta-t-il, les
yeux brillants.

— Je n'en doute pas. Parlez-moi du type qui a réservé la chambre. L'avez-vous bien vu ?

— Assez bien, oui. Quand on écrit des textes, il
faut s'entraîner à remarquer les particularités des gens.
Je suis en train d'écrire une chanson sur tous les gens
qui passent au Days'R'Done. Chaque couplet porte
sur une personne différente, et il y a un refrain. Dès
que j'ai un peu de temps, j'écris un couplet. J'en ai
fait un hier sur la femme qui est venue sans bagages.
Elle attend tout l'après-midi son amant qui ne vient
jamais. Mais quand elle part, elle a l'air heureuse.
Pourquoi donc ? Enfin, vous voyez le genre…

— Pouvez-vous me le décrire ?

— Hum. Désolé. Il était un peu plus grand que
vous et un peu plus étoffé par là, affirma Arbour en
se touchant les épaules. Il portait un long manteau
avec une ceinture. Je ne me rappelle rien concernant
son pantalon et ses souliers. Peut-être que je ne les ai
pas vus, après tout. Il avait une petite moustache bien
taillée, des lunettes sombres aux branches épaisses et
une casquette grise, comme celle que portent les gol-
feurs.

— Et son visage ?

— Sombre. Il avait bien besoin de se raser. Et il
avait de l'or sur les dents.

— Où ça, exactement ?

— Je me rappelle avoir vu de l'or. Peut-être une
couronne. Il n'a pas dit grand-chose, mais j'ai vu
quelque chose de doré quand il a ouvert la bouche.

Sur le devant. En haut, je crois. Son nez n'avait rien de particulier.

— Une chemise ? Une cravate ?

— Son manteau était fermé jusqu'en haut.

— Ses mains ?

— Il portait des gants. (Arbour s'arrêta soudain, l'air pensif.) Ça, c'était bizarre : il ne faisait pas froid.

— Vous avez dit qu'il avait l'accent italien.

— C'est comme ça que je l'ai entendu, en tout cas.

— Qu'a-t-il dit ?

— « Vous avez oune chambre ? J'ai besoin d'oune chambre pour oune nouit. »

— On dirait Chico Marx.

— J'ignore qui c'est, répliqua Arbour. Je vous répète juste ce que j'ai entendu. Il a signé la fiche et m'a payé ; après ça, je ne l'ai pas revu. J'ai été pas mal occupé ce soir-là.

— Quel nom vous a-t-il donné ?

Arbour pointa le doigt en direction de la réception, où Peterman épluchait les fiches.

— Rossano, répondit-il. J. Rossano.

Peterman exhiba la fiche.

— Quelqu'un d'autre a-t-il attiré votre attention ce soir-là ? continua Salter.

— Ça a été très mouvementé. Il y a eu plein d'allées et venues d'autos, mais personne n'est venu à la réception. Certains de nos clients habituels paient à la semaine, et ils reçoivent beaucoup de visiteurs, répondit Arbour, les yeux écarquillés.

Il s'amusait énormément.

— Des filles ?

— La plupart des clients habituels sont des filles.

— Vous les connaissez ?

— Bien sûr, mais elles sont toutes parties. Ou plutôt, aucune d'elles n'est revenue.

— Certaines de ces filles vendent-elles de la drogue ?

— Certainement, répondit Arbour en haussant les épaules. Mais elles n'inscrivent pas « trafiquante de drogue » sur la fiche quand elles prennent une chambre.

— Vous m'avez été très utile, merci, dit Salter en se levant.

Il se dirigea vers le comptoir.

— Vous êtes prêt, sergent ?

Pendant que Peterman remettait les fiches en ordre et les attachait avec l'élastique, Salter posa une dernière question au réceptionniste :

— Vous vivez ici ?

— Oui, pour le moment, mais la proprio en a assez de moi. Ça lui déplaît que je coopère avec la police. Mais j'ai mis assez d'argent de côté pour tenir un moment. Je me fiche complètement de ce qu'elle pense de moi, précisa-t-il en souriant.

— Faites-nous savoir où nous pourrons vous joindre. Savez-vous où vous irez ?

— Je ne manquerai pas de vous donner mes coordonnées. Je n'ai pas encore d'adresse, mais le sergent m'a laissé sa carte. Je l'appellerai.

— Venez au poste demain pour regarder quelques photos. Vous vous rappellerez peut-être quelque chose.

— Serviable, ce gamin, hein ? fit remarquer Peterman sur le chemin du retour.

— Il dit qu'il est auteur et qu'il s'entraîne à être observateur. Le signalement qu'il a donné était plutôt précis.

— Il déteste la propriétaire du motel. On aurait pu penser qu'ils s'entendraient bien, étant donné qu'elle est francophone, elle aussi. Mais elle ne doit pas être originaire de Chicoutimi, j'imagine. Je lui ai parlé.

Elle gère une maison de chambres dans Sherbourne Street. Un bordel, comme ici. L'escouade des mœurs l'a épinglée deux fois, mais elle s'en est tirée chaque fois. Plus récemment, elle a été dénoncée à Revenu Canada, et ce jeune homme sera très utile aux inspecteurs des impôts. Elle a eu tort de l'engager. Vous avez remarqué comme il est propre et soigné ? Elle, elle pue vraiment, et il la trouve dégoûtante. Littéralement, là encore, pas moralement. Bon. On va où, maintenant ?

— Je vais rencontrer la petite amie. J'ai rendez-vous à son bureau à quatre heures.

— Vous n'avez pas besoin de moi, je suppose ? Déposez-moi au poste pour que je commence à vérifier les coordonnées des clients que j'ai relevées sur les fiches.

◆

Connie Spurling exerçait son métier dans une suite de bureaux située dans Yonge Street, au sud de Bloor Street. Lorsque Salter entra, il se retrouva dans une pièce de réception. Assise derrière un comptoir, une femme d'une trentaine d'années pleurait, le regard fixé sur un écran d'ordinateur.

— Madame Spurling ? s'enquit le policier.

Les joues ruisselantes de larmes, la femme fit un signe de dénégation avant de quitter précipitamment la pièce par une porte latérale. Salter s'avança en direction d'un bureau dont la porte était ouverte.

— Madame Spurling ? répéta-t-il à l'intention de la femme qui était assise derrière le bureau.

Pendant un instant, celle-ci se contenta de regarder fixement Salter en se demandant ce qu'il fabriquait là. Lorsqu'elle sembla se souvenir de leur rendez-vous, elle se leva et lui adressa un éclatant sourire

machinal ; puis elle parut se rappeler autre chose, et
son sourire disparut.

Elle lui désigna un fauteuil.

— Je vous attendais, lança-t-elle. Finissons-en tout
de suite.

— Nous avions rendez-vous à quatre heures, fit
remarquer Salter en consultant sa montre.

— Je sais, je sais, mais j'ignorais que je serais si
occupée.

Salter prit tout son temps pour s'installer dans le
fauteuil afin de se donner l'occasion d'observer Connie
Spurling et son bureau. Il jugea les deux « branchés » :
les murs étaient garnis d'étagères d'entrepôt, les con-
duits de chauffage visibles étaient d'un rouge brillant et
le bureau consistait en une roche plate soutenue par
deux gros tuyaux noirs. L'éclairage, plus conventionnel,
se composait d'une dizaine de lampes halogènes
accrochées par des pinces aux poutres du plafond.

Connie Spurling portait un treillis dont le tissu
ressemblait à de la toile à sac, mais en plus fin, et une
montre qui avait l'air en platine. Ses cheveux, ses
mains et son visage étaient arrangés, polis et lustrés à
un tel degré de naturel qu'on eût dit un robot – l'étin-
celante réplique d'une quadragénaire qui a réussi et
dont le seul défaut est d'être trop parfaite.

— Votre secrétaire a l'air quelque peu bouleversée,
commença Salter.

— Je viens tout juste de procéder à son évaluation.
Elle accepte difficilement la critique.

— Comme nous tous, non ?

Il s'amusa un instant à imaginer un petit guide permettant à chacun d'apprendre à aimer se faire mal-
traiter et décida de ne pas partager cette blague avec
son interlocutrice.

— Madame Spurling, auriez-vous l'obligeance de me
répéter ce que vous avez déclaré au sergent Peterman

concernant la dernière fois que vous avez vu Alec Hunter ?

— Alec a quitté la maison après dîner, vers sept heures trente. Il allait rendre visite à sa grand-tante, comme tous les dimanches.

— Il y était attaché ?

— Il faisait son devoir de neveu. C'était le seul à le faire.

— Le sergent Peterman m'a dit que vous lui aviez donné de l'argent.

— Oui, la veille. Mille dollars. Après son départ, je n'ai plus entendu parler de lui jusqu'à ce qu'on m'apprenne qu'on l'avait retrouvé mort dans le motel.

— Quelle est l'adresse de l'institution où vit sa grand-tante ?

— C'est la résidence St Bartholomew. C'est situé dans une ancienne maison bourgeoise de Lowther Street.

— Et c'est la dernière fois que vous avez eu de ses nouvelles, ce dimanche soir ?

— Oui, jusqu'à ce que les policiers viennent me voir le lendemain matin.

La peine était indétectable derrière les mots. Salter compara Connie Spurling à cette créature de *Star Trek* venue de Noma, celle qui porte une combinaison de saut multicolore qui n'est en fait que l'aura d'une personne morte quatre millions d'années plus tôt.

— Il vous a bien avoué que l'argent allait lui servir à acquitter une dette de jeu ?

Un nerf frémit le long de la mâchoire de Connie Spurling.

— Il m'avait juré que ce serait la dernière fois.

Salter remarqua aussi un frisson quasi imperceptible sur la joue : il se rendit alors compte qu'elle était en proie à une émotion très intense dont les signes étaient masqués par une apparence parfaitement contrôlée.

— Pourriez-vous m'en dire plus sur ces dettes ? Depuis combien de temps payiez-vous la facture ?

— Depuis environ six à huit mois. Ça a commencé l'année dernière, vers la mi-août. Avant ça, il m'avait toujours épargnée, mais il avait fini par se mettre dans une situation qu'il ne pouvait plus gérer seul.

— En tout, combien lui avez-vous donné ?

— Dix ou onze mille dollars. Toutes les trois ou quatre semaines, je lui donnais mille ou deux mille dollars.

— Pourquoi avez-vous continué à payer ? Avez-vous essayé de l'inciter à arrêter de jouer ?

— Seigneur ! Bien sûr que j'ai essayé ! J'étais même sûre qu'il en avait finalement eu la volonté, alors je m'étais dit qu'après ces derniers mille dollars, ce serait terminé. Mais qu'est-ce que ça a à voir avec la manière dont il a été tué ?

Pas grand-chose, admit Salter à part lui. *C'est juste par curiosité.*

— Vous a-t-il parlé de son créancier ?

— C'était un bookmaker. C'est tout ce que je sais.

— Avait-il des amis à qui il aurait pu en parler ?

— Je ne crois pas. Il n'avait pas de vrais copains. Vous pourriez peut-être parler à Bill Turgeon, le régisseur : il était probablement ce qui ressemblait le plus à un ami pour Alec.

— Avait-il des copines, vous mise à part ?

— Quelqu'un vous a-t-il suggéré de me poser cette question ? rétorqua-t-elle sur un ton à glacer le sang.

Salter attendit avant de répondre afin de lui faire comprendre qu'il avait relevé l'intonation et compris qu'elle le provoquait.

— Je n'ai parlé à aucune autre personne qui le connaissait. Vous êtes la première.

— Eh bien, quand vous parlerez à ses relations, vous découvrirez qu'il ne voyait aucune autre femme.

Lorsque j'ai commencé à fréquenter Alec autrement que comme agente, j'ai posé comme condition qu'il rompe avec toutes les autres. Et je pense qu'il l'a fait.

— La pièce dans laquelle il jouait avant d'être assassiné joue toujours, si je ne m'abuse ?

— Il tenait le rôle principal dans *After Paris*, mais il l'a laissé tomber une semaine avant de se faire tuer. La pièce est toujours à l'affiche parce que les doublures ont pris le relais.

— Pourquoi a-t-il quitté la pièce ?

— Il ne l'a pas « quittée », comme vous dites. Il avait accepté un contrat initial de trois mois seulement parce qu'il devait partir la semaine prochaine à Vancouver pour commencer le tournage d'un film. En fait, le film est tombé à l'eau, de sorte qu'il était finalement libre.

— La pièce marchait-elle bien ? (Salter avait du mal à trouver l'expression juste.) A-t-elle fait un malheur ? cassé la baraque ?

— Alec a eu d'excellentes critiques. Il devenait enfin célèbre. Il avait attendu si longtemps ! cria-t-elle presque. Il avait tout accepté pendant cinq ans et là, on parlait enfin de lui. Et puis il a fallu qu'il se fasse tuer…

— Il avait près de quarante ans, s'étonna Salter. Qu'a-t-il donc fait avant ces cinq dernières années ?

— Toutes sortes de choses. Mais c'est vraiment depuis ces dernières années qu'il a commencé à avoir des rôles. J'ai sans doute réussi à le propulser.

— Où la pièce se joue-t-elle ?

— Toujours au même endroit. Au théâtre de l'Estragon. Mais je ne m'en préoccupe plus : la pièce tenait grâce à Alec. Le connard qui a pris sa suite ne serait même pas crédible en père Noël.

— Il faudra quand même que je le rencontre : je dois interroger toutes les personnes qui ont connu monsieur Hunter. Jusqu'à présent, nous sommes dans le noir le plus total.

— Et vous allez en rester là, n'est-ce pas ? Vous ne résolvez jamais les meurtres commis par la Mafia.

— Où est le théâtre ?

— Près d'Egerton Street, entre Bathurst et Spadina, au nord de Queen. Suivez mon conseil : parlez à Bill Turgeon. Les autres ne feront que mémérer sur le dos d'Alec. Alec avait du talent, vous savez. (Elle feignit de feuilleter un dossier.) Bon, si vous n'y voyez pas d'inconvénient, j'ai du travail.

Salter était tenté d'inventer une dizaine d'autres questions pour lui montrer qui était le chef, mais il se dit que la peine qu'elle devait ressentir justifiait amplement son comportement – aussi prit-il congé.

La pleureuse l'attendait dehors ; elle cramponnait le col de son manteau contre sa gorge, comme si elle avait froid. Son nez était rouge vif.

— Excusez-moi, l'interpella-t-elle. Vous êtes policier, n'est-ce pas ? Inspecteur, c'est bien ça ? Puis-je vous parler ?

— Bien sûr. C'est à quel sujet ?

On voyait ce genre de scène dans la moitié des films. Elle allait sans doute lui raconter qu'un homme à l'accent italien était venu rendre visite à Connie Spurling la veille de la mort d'Alec Hunter et lui révéler qu'elle avait entendu une dispute qui avait pris fin lorsque Connie l'avait envoyée à la banque pour encaisser un chèque de cinq mille dollars.

— Pourrions-nous aller ailleurs ? demanda la jeune femme. Elle pourrait sortir.

— Allons là-bas, proposa Salter en indiquant un café situé de l'autre côté de la rue.

Une fois qu'ils eurent pris place, il commanda deux cafés et attendit les révélations. Lorsqu'elle essaya de siroter le contenu de sa tasse, ses dents en heurtèrent légèrement le rebord. Elle reposa prestement son café et sortit une cigarette de son sac.

— Ça ne vous dérange pas que je fume?

Salter lui ayant répondu d'un haussement d'épaules indifférent, elle l'alluma.

— C'est stupide, mais j'ai peur d'elle, lui confia-t-elle. Je ne retournerai pas travailler là-bas. Que pourrait-elle me faire pour se venger?

— Comment ça? Vous doit-elle encore une paie?

— Elle peut se la garder. Non: elle pourrait m'accuser de vol, par exemple, non?

— Est-elle si mauvaise que ça?

— Vous n'imaginez pas à quel point. J'ai travaillé pour elle pendant un mois, et regardez dans quel état je suis!

— Que vous a-t-elle fait aujourd'hui, exactement?

— Elle m'a évaluée, voilà ce qu'elle a fait. Je pensais que je m'en tirais plutôt bien et là, avant votre arrivée, elle m'a convoquée pour mon évaluation. Elle avait rédigé trois pages entières de fautes, sans le moindre élément positif. Je lui ai demandé si elle n'avait vraiment aucun compliment à me faire en précisant que si c'était le cas, elle aurait dû me congédier dès la première semaine. Elle m'a répondu que le but de l'évaluation se limitait à diagnostiquer mes faiblesses et à faire en sorte que je m'améliore. Je lui ai alors demandé si elle ne pouvait même pas me dire quelles étaient mes forces, juste pour mon information, mais elle a refusé. Seigneur! Elle a été si destructrice! Je lui ai demandé si elle allait me virer, ce à quoi elle a répondu que ma question était caractéristique d'une attitude négative. (Elle se remit à pleurer.) Personne ne voudra me croire ! J'aurais l'air complètement nulle.

— Mais elle ne vous a pas virée : c'est bien vous qui êtes partie, non ?

— Bien sûr ! Je ne peux pas supporter ça. Pendant les trois premières semaines, elle était douce comme un agneau. Après quoi elle a commencé à me critiquer. Et aujourd'hui, elle a dépassé les bornes. Je suis sûre que c'est pour ça que la fille qui occupait le poste avant moi est partie.

— C'est peut-être une technique de gestion du personnel.

— J'en suis persuadée. Elle ne s'est pas mise en colère. Elle a tout passé en revue : mon attitude, comme elle a dit. Mon attitude, c'est bien ce que je suis véritablement, non ? Mon apparence, mon refus de faire des heures supplémentaires. Ça, c'était pour la fois où j'ai refusé de travailler pour elle toute la nuit parce que j'avais des billets pour *Le Fantôme de l'Opéra*. Elle m'avait laissé un énorme tas de travail à faire et était partie à un souper mondain. Seigneur !

— Elle a subi beaucoup de pression. Son ami de cœur vient de se faire assassiner : ce n'est pas rien.

— Ça faisait un moment qu'elle était aussi méchante. J'ai essayé de lui présenter des condoléances, mais elle m'a dit de me taire. Je ne crois pas que son comportement ait un rapport avec la mort de monsieur Hunter. Ce que je crois, c'est qu'elle aime tout simplement évaluer les gens, comme elle dit.

— La nouvelle de la mort d'Alec l'a-t-elle beaucoup affectée ?

— Sans doute, mais comment le savoir ? Il l'obsédait. Elle m'avait dit que s'il appelait pendant son absence, je devais le lui dire, où qu'elle soit. Vous imaginez ? Et si elle était là quand il appelait et que je répondais, elle agissait comme si décrocher le téléphone ne faisait pas partie de mes attributions. Elle sortait même de son bureau pour s'assurer que je n'espionnais pas leur conversation. Il est venu au bureau une seule fois. J'ignorais qui il était. Il me faisait du charme et moi, j'essayais d'être spirituelle, comme elle m'avait dit de l'être avec les clients. Elle est sortie de son bureau et m'a interrompue au beau milieu d'une phrase. Elle était obsessive, possessive, et j'en passe.

— Elle ne vous a jamais rien dit à propos du décès d'Alec ?

— À moi ? Jamais. Dès qu'il s'agissait de sa vie privée, je n'existais pas. Je n'avais même pas le droit de la complimenter sur son élégance, comme si j'étais une sorte de domestique. Cela dit, ç'a été tout un choc. Après le départ des deux policiers qui sont venus lui annoncer la mauvaise nouvelle, je suis allée la voir, au cas où elle aurait eu un problème que j'aurais pu l'aider à résoudre. Elle m'a juste dit qu'Alec Hunter était mort et qu'il avait été tué par des joueurs. Je lui ai demandé comment elle savait qui l'avait tué : elle m'a répondu qu'Alec lui avait prédit que ça risquait d'arriver, mais qu'elle ne l'avait pas cru. Après ça, elle m'a ordonné de retourner travailler.

La jeune femme se détendait progressivement. Salter avait appris quelque chose, mais il ne croyait pas qu'il en apprendrait davantage.

— Qu'attendez-vous donc de moi ?

— Vous êtes policier, non ? (Elle posa son grand sac de cuir sur la table et en vida le contenu.) Des souliers, le reste de mon lunch, des kleenex, un livre, un exemplaire du magazine *Mademoiselle*, un porte-feuille, un foulard, un porte-monnaie. (Elle retourna le sac pour montrer qu'il était vide.) Voilà. Pourrais-je déclarer que vous avez inspecté mon sac ?

— Déclarer à qui ?

— À ceux qui m'accuseront.

— Vous êtes sérieuse ?

— Vous n'avez aucune idée de ce dont elle est capable ! Si elle découvre dans deux ans qu'une disquette lui manque, elle m'accusera. Je le sais.

Salter songea que le plus grave, ce n'était pas les faits supposés, mais le fait que la jeune femme fût capable d'imaginer qu'ils se produisent.

— Que voulez-vous que je fasse ? Que je vous signe un billet, c'est ça ?

Il sourit, essayant de dédramatiser la situation.

— Quelque chose dans ce genre, reconnut-elle.

— Tenez. Voici ma carte. Si les flics débarquent, montrez-la-leur et dites-leur de m'appeler. Et donnez-moi un numéro où je pourrais vous joindre. En attendant, vous devriez la prévenir que vous ne reviendrez pas au bureau.

— Je le ferai demain. Je ne veux plus avoir affaire à elle aujourd'hui.

CHAPITRE 5

Pendant l'absence d'Annie, Salter et Seth, son fils cadet, avaient rapidement pris l'habitude non pas de préparer le repas du soir ensemble, mais de se prévenir mutuellement de leur présence ou non à l'heure du souper. Depuis le départ d'Annie, Salter n'avait dû recourir à son répertoire limité – œufs au bacon, steaks et pommes de terre cuites au four à micro-ondes – que deux fois. Salter appela chez lui, mais Seth était sorti : il répétait une pièce dans laquelle il tenait un rôle, une production semi-professionnelle de *La Main de singe* qui devait être présentée à un déjeuner-théâtre. Salter laissa donc un message sur le répondeur pour prévenir son fils qu'il rentrerait tard à la maison et pour l'autoriser à prendre de l'argent dans le bol situé sur la plus haute étagère de l'armoire de la cuisine afin de s'acheter de quoi souper.

Après quoi, il alla voir Peterman.

— Le jeune gars du motel vient de partir, l'informa ce dernier. Je lui ai directement montré la liste des suspects potentiels ainsi que des photos ; je lui ai même mis un peu de pression quand on en arrivait à des gars qu'on soupçonne de travailler pour la Mafia, surtout ceux qui ont une dent en or. Ça n'a rien donné. Ce sera un bon témoin quand on aura trouvé un suspect, parce qu'il n'est pas du genre à désigner quelqu'un juste pour me faire plaisir.

— Tout cela porte à croire que notre assassin n'a pas de casier judiciaire. Il y en a beaucoup, à votre avis ?

Peterman eut l'air surpris : c'était le genre de question auquel il se serait attendu dans une émission de télévision portant sur l'augmentation de la criminalité à Toronto, mais pas de la part d'un policier professionnel.

— Je dirais qu'il y en a certainement quelques-uns en ville, répondit-il. Ces gens-là vont et viennent. Il y en a sans doute une centaine à Buffalo de même qu'à Detroit. Quant à Niagara Falls et à New York, il y en a une dizaine, plus ou moins.

Salter releva le ton, ou plus exactement l'absence de ton, teinté d'un soupçon d'interrogation qui trahissait l'ironie. Il dut faire un effort pour se rappeler à laquelle de ses questions répondait Peterman. L'expression qui se peignait maintenant sur le visage de ce dernier était semblable à celle qu'il aurait eue si Salter avait parlé à voix haute et il se reprit aussitôt :

— Désolé, dit-il. Ma femme n'est pas là en ce moment ; son père a fait une attaque, et je viens d'appeler à la maison pour laisser un message à mes enfants.

La vraie raison de sa distraction résidait cependant dans la floraison des lilas, qui reléguait tout le reste au second plan ; Salter aurait pu passer son temps à réfléchir à des choses sérieuses, comme décider comment il voulait passer les vingt prochaines années de sa vie – qui seraient fort probablement aussi les dernières – au lieu de faire semblant de poursuivre un gorille pourvu d'une dent en or qui était certainement en ce moment même en train de raconter ses exploits meurtriers dans une chambre d'hôtel de Detroit.

Peterman hocha la tête.

— Vous aviez l'air passablement ailleurs, commenta-t-il.

Au son de sa voix, Salter comprit que Peterman était un peu froissé ; il allait devoir faire son possible pour reconquérir l'estime du sergent.

— Les fiches des clients du motel n'ont mené à rien, reprit Peterman. Un beau ramassis de foutaises. Une seule a l'air vraie : celle d'un gars qui vient de l'Arizona, sans doute un touriste qui est fort probablement en Alaska à l'heure qu'il est. Cela dit, sa chambre était loin de celle où l'on a retrouvé Hunter, alors ça ne vaut pas la peine qu'on parte à sa recherche.

— Avez-vous enquêté sur cette maison de retraite où Hunter était censé se rendre le soir où il a été tué ?

Pour la première fois depuis le début de leur courte collaboration, Peterman eut l'air mal à l'aise.

— J'ai passé un coup de fil. On m'a dit que Hunter était bien passé voir sa grand-tante ce soir-là.

— Il y est resté combien de temps ?

— On ne me l'a pas dit.

— Je vais me rendre sur place pour poser quelques questions, décréta Salter.

— J'ai pensé que ce n'était pas très important. À mon avis, Hunter a plutôt utilisé cette visite comme prétexte à l'égard de Connie Spurling. Il est simplement passé à la maison de retraite avant d'aller au motel.

— Oui, mais si on sait à quelle heure il a quitté la maison de retraite, on aura une idée de l'heure à laquelle il est arrivé au motel.

— Et ?...

— Et rien du tout, probablement, admit Salter. Mais s'il est allé tranquillement rendre visite à sa tante d'abord, on pourrait penser qu'il ne s'était pas particulièrement préparé à un affrontement comme celui qu'il a eu.

— C'est un dimanche soir plutôt traditionnel, non? On va d'abord voir sa vieille tante et après, on va donner mille dollars à un escroc.

— C'est exactement ça. Je vais quand même aller faire un tour dans cette maison de retraite, affirma Salter, qui voyait là une occasion de s'occuper.

◆

Lorsqu'il sonna à la porte de la résidence St Bartholomew, le visage d'une femme âgée apparut à travers la vitre de la porte d'entrée, bientôt suivi par celui d'une femme plus jeune, qui ouvrit.

Salter produisit sa carte d'identité et entra en contournant la vieille dame qui restait immobile dans le passage; elle suivit Salter des yeux sans tourner sa tête, qui faisait toujours face à la porte d'entrée. L'entrée débouchait sur un salon. La femme qui lui avait ouvert la porte posa la main sur le bras du policier:

— Allons dans mon bureau. Non, pas vous, Doris. Allez plutôt boire votre thé.

Elle aida la vieille dame à faire demi-tour et la conduisit vers un fauteuil où elle la fit asseoir devant une tasse de thé à moitié vide.

— Vous voyez? Vous ne l'avez même pas fini tellement vous étiez occupée à surveiller la porte.

Le salon était désert, à l'exception d'un très vieil homme qui, assis dans un coin, fixait le mur. Au moment où Salter le regarda, l'homme leva lentement la main en direction de son visage, mais avant qu'il eût le temps d'achever son geste, son autre main tomba de l'accoudoir; son regard se détourna alors vers son bras gauche qui pendait tandis que la course de sa main droite s'interrompait tout près du menton.

Voilà de quoi ça a l'air, la fin, songea Salter. *Le père d'Annie ressemble probablement à ce vieillard.*

Il comprenait désormais ce que redoutait sa belle-mère et les raisons pour lesquelles elle tenait tant à rester chez elle, entourée de descendants dépendants, en attendant le jour où elle aurait besoin qu'on l'aide à remettre sa main sur l'accoudoir. Il compatissait, bien qu'il ne voulût en aucun cas s'offrir comme solution aux craintes de la vieille dame.

La directrice de la maison de retraite revint vers Salter et le conduisit dans un couloir.

— Doris est parfois un drôle de numéro, expliqua-t-elle. Comme beaucoup de nos pensionnaires, finalement. Je suis Nora Halbird, la directrice de jour.

— Ça a l'air agréable, ici. Vraiment. Et confortable. Vos pensionnaires semblent très calmes.

— Le vieil homme que vous avez vu dans le salon est atteint de la maladie d'Alzheimer.

— Ah.

— Vous êtes venu nous voir au sujet de madame Heliwell, n'est-ce pas ?

— Je m'intéresse à la grand-tante d'Alec Hunter.

— C'est bien elle. J'ai lu tous les articles le concernant. Que voulez-vous savoir ?

— Je crois qu'il est venu ici dimanche soir.

— Je n'étais pas de service : c'est Susan qui était l'infirmière de nuit. Je peux lui passer un coup de téléphone ; je viens juste de l'ap… Attendez une minute.

Nora Halbird se leva prestement et se dirigea vers l'entrée, où une vieille dame venait de s'empêtrer dans sa marchette. La directrice replaça les mains de la pensionnaire au bon endroit, lui montra la direction qu'elle devait prendre et attendit qu'elle repartît pour s'assurer que tout allait bien.

Lorsqu'elle revint dans son bureau, elle sourit en voyant l'expression qu'affichait Salter :

— Dites-vous que c'est une sorte de jardin d'enfants pour personnes âgées, commenta-t-elle. Imaginez à quoi ça peut ressembler en hiver, quand il faut les habiller chaudement pour aller faire une petite promenade.

— Il faut bien que quelqu'un s'en occupe, je suppose.

— C'est comme ça que vous voyez les choses ? Vous avez sans doute raison. Pour moi, c'est juste un métier intéressant et plus utile que la plupart des autres, mais je n'ai pas le sentiment de me sacrifier. Bon : où en étions-nous ?

D'une certaine manière, Salter prit les propos de la directrice comme une mise en garde, comme si, après avoir sympathisé avec un gardien de prison, il découvrait que ce dernier était du côté des détenus.

— Vous me parliez de l'infirmière de nuit, lui rappela-t-il.

— Ah oui. Je vais l'appeler tout de suite.

Une minute plus tard, Salter était en communication avec l'infirmière :

— Oui, confirma-t-elle. Il était là l'autre soir. Il est arrivé vers huit heures. Je l'ai fait entrer et après ça, il est allé tout seul dans la chambre de madame Heliwell : pas besoin qu'on lui montre le chemin, il venait assez souvent.

— Quand est-il parti ?

— Je l'ignore. Je suis presque sûre qu'il n'est pas parti avant neuf heures trente parce que je suis restée dans le salon jusqu'à neuf heures, après quoi j'ai fait ma tournée avant de servir le thé, ce qui m'a emmenée jusqu'à neuf heures trente. Il a dû partir au moment où je me trouvais dans le bureau, approximativement entre neuf heures quarante-cinq et neuf heures cinquante. Quelqu'un lui a sans doute ouvert la porte. Comme il venait tous les dimanches, je n'ai pas vraiment fait attention à lui.

Salter perçut une note d'inquiétude dans la voix de l'infirmière : dans un endroit comme celui-ci, la sécurité est primordiale. Il ne fallait pas, en effet, que les pensionnaires puissent aller errer dans les rues.

Il la remercia et raccrocha, puis se retourna vers Nora Halbird.

— Pourquoi fallait-il qu'on lui ouvre la porte pour sortir ?

— Nous avons un petit système de sécurité : on peut sortir avec une clé, mais quand on n'a pas de clé, il faut qu'une autre personne presse sur un bouton pendant qu'on ouvre la porte. Impossible d'appuyer sur le bouton en ouvrant la porte : il faut se faire aider. C'est le compromis que nous avons trouvé pour pouvoir surveiller nos pensionnaires sans leur donner l'impression d'être en prison.

— Dans ce cas, quelqu'un l'a fait sortir, c'est ça ?

— Quelqu'un a pressé le bouton, c'est sûr, mais je ne crois pas que ça vaille la peine de leur demander de se rappeler qui l'a fait, fit-elle observer en souriant. Ils ne feraient pas de bons témoins devant un tribunal.

— Connaissiez-vous Alec Hunter ?

— Je l'ai rencontré de nombreuses fois. Lorsqu'une infirmière a une sortie de prévue, je reste pour la soirée, en échange de quoi elle reste parfois pour la matinée. Alors oui, j'ai déjà rencontré monsieur Hunter.

— Venait-il voir sa tante régulièrement ?

— Oui, depuis qu'elle avait perdu sa fille.

Salter attendait la suite.

— C'était désormais son seul parent, son héritier. Vivre dans cette résidence coûte deux mille dollars par mois ; l'avocat de madame Heliwell paie sa pension grâce aux intérêts de son capital. Les loyers de deux maisons qu'elle possède, à vrai dire. Quoi qu'il en soit, ça lui faisait au moins un visiteur. Certains de nos pensionnaires ne reçoivent même pas de visite le jour de leur anniversaire.

— Puis-je la voir? demanda Salter.

— Bien sûr.

Nora Halbird le conduisit vers un petit ascenseur qui donnait sur le couloir. À l'intérieur de la cabine, une vieille dame attendait que la porte se referme. Lorsqu'elle vit que Salter et Nora Halbird s'apprêtaient à venir la rejoindre, elle en sortit à petits pas précipités et alla attendre dans le vestibule, en les fixant d'un regard plein de détresse.

— On revient tout de suite, Jennie, lui dit Nora Halbird d'un ton rassurant.

Salter et elle entrèrent, et la porte se ferma.

— Jennie ne monterait jamais dans l'ascenseur avec une autre personne, expliqua Nora Halbird. L'exiguïté de cette cabine l'effraie.

— Il faut dire qu'elle est vraiment petite, fit remarquer Salter, qui rentrait le ventre et retenait sa respiration pour éviter tout contact physique avec la directrice.

La porte de la chambre de madame Heliwell était ouverte; elle regardait la télévision. Nora Halbird éteignit le téléviseur et essaya de présenter Salter à la vieille dame.

— Laissez-moi tranquille! hurla celle-ci. Ils m'ont battue toute la nuit, ajouta-t-elle à l'intention de Salter. Et ils m'ont aussi jeté de l'eau froide dessus. J'ai plein de bleus et je suis toute gelée. C'est révoltant.

La directrice ralluma la télévision et raccompagna Salter vers l'ascenseur.

— Elle a passé une mauvaise journée. Si vous voulez avoir une conversation cohérente avec elle, il vous faudra revenir.

— Qu'est-ce qu'elle racontait ?

— Dans les mauvais jours, elle confond les rêves et la réalité. Elle a dû faire un cauchemar la nuit dernière et elle n'en est pas encore sortie. L'infirmière a rapporté qu'elle avait crié la moitié de la nuit.

— Elle a l'air plutôt solide, pourtant.

— Elle pourrait vivre centenaire ! Cela n'a plus aucune importance désormais, mais du vivant de monsieur Hunter, j'espérais qu'elle vivrait très vieille. Il n'était pas difficile de comprendre ce qui l'intéressait chez sa tante. Il avait essayé de supplanter l'avocat, mais celui-ci y a mis bon ordre. Mais je ferais mieux de me taire, maintenant. J'en ai déjà trop dit. Mon rôle se limite à faire en sorte qu'ils se sentent bien ici, c'est tout. Aimeriez-vous savoir autre chose ?

— Tout ce que j'ai besoin de savoir, c'est qu'il est venu ici dimanche.

— Et c'est le cas.

Elle pressa le bouton pour que Salter pût sortir de la résidence.

◆

Le lendemain matin, Salter alla voir ce que le sergent Horvarth, de l'escouade des jeux, avait déniché pour lui. Lorsqu'il arriva dans son bureau, il vit que toutes ses affaires avaient été empilées dans sa corbeille de départ et la surface de son bureau, vide, semblait prête à accueillir un nouvel occupant. Le sergent Lindstrom, le collègue de Horvarth, informa Salter que ce dernier avait été mis en congé.

— Qu'est-ce que ça veut dire ?

— Aucune idée. On m'a prévenu ce matin, quand je suis arrivé. Pour autant que je sache, il n'avait aucun projet spécial. Je l'ai appelé chez lui, mais il ne m'a rien dit, comme s'il avait une arme pointée dans le dos. Il m'a juste répondu : « Je suis en congé », et il a raccroché.

Salter prit note du numéro de Horvarth à son domicile et retourna à son bureau pour l'appeler.

D'abord, le sergent se contenta de répéter sa réplique. Et comme Salter ne lâchait pas le morceau, il finit par lui donner quelques explications :

– On ne vous l'a pas dit ? Je fais l'objet d'une enquête. On m'accuse de corruption. On m'a conseillé de n'en parler à personne, et je compte bien suivre ce conseil, mais vous semblez être plutôt copain avec le directeur adjoint, alors vous serez au courant de toute façon.

Horvarth s'exprimait d'une voix tendue où perçait la colère ; Salter avait du mal à imaginer une telle voix sortant de la bouche de clown du sergent.

— Ont-ils des preuves ?

— Ils pensent m'avoir pris sur le fait.

— Et c'est le cas ?

— Je réserve ma défense, comme on dit. Après tout, je ne vous connais pas.

— Mais vous avez bien une défense ?

Horvarth resta silencieux.

— Vous en avez une ? insista Salter.

— Monsieur l'inspecteur d'état-major, je ne veux pas avoir l'air… comment dire… insubordonné, mais on m'a accusé d'avoir empoché des pots-de-vin. C'est grave. Alors quand je dis que je réserve ma défense, cela veut dire que pour le moment, en attendant que je découvre ce qui se passe, je pars du principe que je suis seul de mon côté et que vous, par exemple, vous vous exprimez au nom du directeur adjoint.

— Je ne l'ai pas vu ce matin, répliqua Salter. Je n'ai su que vous étiez parti que lorsque je suis allé pour vous voir. On m'a dit que vous étiez en congé.

— Hum hum.

— Tant qu'à faire, autant que je vous le demande : avant que vous ne vous retrouviez dans le pétrin, aviez-vous trouvé quelque chose pour mon enquête ?

— Évidemment, vous pouvez ne pas me croire, mais je vous répondrai que j'ai eu tout juste le temps de poser quelques questions à la ronde avant de me retrouver en congé. Les réponses vont sortir dans les jours à venir, mais je ne serai pas là pour les entendre, n'est-ce pas ?

— Puis-je m'adresser à Lindstrom, dans ce cas ? lui demander de s'en charger ? On m'a dit que c'était vous qui aviez tous les contacts.

— Sacré problème, hein ?

Salter attendit.

— Oh, et puis merde ! J'imagine que vous n'allez pas essayer de me baiser. Je vais reprendre contact avec eux et leur demander de s'adresser à vous. Ça vous va comme ça ? proposa Horvarth.

— Merci.

Songeur, Salter reposa le combiné. Avant d'aller voir Corelli, il décida de faire un crochet par le bureau du directeur adjoint.

◆

— Fermez la porte, Salter.

Le directeur adjoint se passa la main dans les cheveux ; il était probablement le dernier policier à les avoir coupés en brosse. Il poursuivit :

— Je sais pourquoi vous êtes là. C'est pour Horvarth. Nous avons des photos. On y voit un bookmaker bien connu lui donner une liasse de billets dans un stationnement.

— Qui a pris ces photos ?

— Les gars de la GRC.

— Seigneur !

Salter s'assit en face du directeur adjoint.

— Génial, hein ? Et avec tous ces nouveaux politiciens qui se posent en justiciers...

— A-t-il déjà eu des ennuis de ce genre par le passé ? s'enquit Salter.

— Pas depuis que j'occupe ce poste.

— Je viens de lui parler au téléphone. Il n'avait pas l'air d'un gars qui s'inquiétait pour sa carrière. Par contre, il était vraiment furieux. À votre place, je serais prudent, monsieur.

Le directeur adjoint hocha la tête cinq ou six fois.

— Je sais. Je trouve qu'il a un comportement très bizarre. Quand je lui ai dit qu'on avait la preuve qu'il avait accepté de l'argent, il a voulu savoir ce que c'était comme preuve. Je ne lui ai pas dit. Il a aussi voulu savoir qui avait recueilli la preuve. Je ne peux pas lui révéler ça. Pas encore. Alors il a juste dit : « Bon » et n'a rien ajouté. Et maintenant, j'essaie de décider ce qu'il convient de faire.

— Appliquer la *Loi sur la police* ? L'accuser au criminel ?

— Avant de décider, je dois diligenter une enquête interne dans les règles. (Il regarda par la fenêtre.) Je sais ce que j'aurais fait il y a dix ans. J'aurais d'abord réglé l'affaire ici tout de suite avant de la rendre publique. C'est la meilleure façon d'éviter les mauvaises surprises au cours de l'enquête et parfois, ça évite même d'effectuer une enquête. Mais les choses prennent maintenant une tournure officielle. Si je fais à mon idée et que ça vient à se savoir, il se trouvera toujours quelqu'un pour se plaindre qu'on veut étouffer l'affaire et j'aurai la commission de police sur le dos. Mais je suis de votre avis : Horvarth veut en découdre, bien que je n'aie pas la moindre idée de la manière dont il va se tirer de ce mauvais pas. Quelle défense peut-il bien avoir?

— D'après ce que j'ai compris, c'est à lui de le savoir et à vous de le découvrir.

— Je dois agir, Salter. Les gars de la GRC sont très fiers de leur coup.

— Vous avez mis Horvarth en congé et lui, il ne pipe pas mot. Attendez deux ou trois jours: peut-être qu'il vous dira tout de lui-même et à ce moment-là, vous saurez quoi faire. Peut-être pourrez-vous revenir dix ans en arrière…

— Il prépare quelque chose, non?

— Il a probablement une explication.

Le directeur adjoint regarda Salter par en dessous.

— Vous croyez qu'il vous le dirait, à vous, ce qu'il mijote? Vous n'avez jamais eu de problème l'un avec l'autre, non?

Salter comprit alors combien Mackenzie détestait le poste qu'il occupait: il voulait tellement éviter une enquête publique qu'il était prêt à admettre que Salter pût faire son travail à sa place.

— Cela peut-il attendre, monsieur? Horvarth va peut-être finir par changer d'avis et se mettre à table.

— Fiez-vous à votre jugement, Salter. Je vous ferai savoir quand je devrai agir.

◆

— D'après ce qu'on m'a dit, ce n'est pas un coup de la Mafia, révéla Corelli. Si c'est vrai, je suis sûr que je ne tarderai pas à recevoir un signe. Ils n'aiment pas la publicité non sollicitée.

— Je vais quand même continuer à considérer cette piste comme la plus probable.

— Ouais, et c'est ce que je ferais, moi aussi, à votre place. Vous n'avez pas le choix. Mais je commencerais à chercher ailleurs, aussi.

En résumé, les nouvelles n'étaient guère encourageantes. Salter aurait été heureux d'apprendre que la Mafia avait déjà exécuté son franc-tireur; de la sorte, il aurait pu se consacrer à des affaires plus importantes.

Après sa visite à la résidence des aînés, il avait éprouvé le besoin urgent d'aller rendre visite à son père, qui, tandis qu'il approchait les quatre-vingts ans, semblait plutôt heureux de vivre avec la veuve d'un vieil ami. Mais au moment où il envisageait d'aller le voir, il conclut que tant que son père aurait tous ses esprits, toute nouvelle et soudaine manifestation de sollicitude de la part de son fils lui paraîtrait suspecte. Malgré tout, Salter ne pouvait pas s'empêcher de se demander ce que l'avenir réservait au vieil homme – ainsi qu'à lui-même. Suivant le fil de ses pensées – et songeant au fonctionnement même de son esprit –, Salter commença à se demander s'il ne traversait pas une crise, une mutation dont il émergerait soudain plus vieux. Il opposa l'image d'épanouissement insouciant de ces hommes qui prétendaient avoir rajeuni de dix ans depuis leur retraite à celle d'un homme tout juste sexagénaire qui est devenu un vieillard dès sa première année de retraite, traînant ses savates, un sourire doux et résigné aux lèvres. Salter se réconforta en pensant à ses gènes: à soixante-dix ans, son père avait emménagé avec son amie de cœur, et à grand renfort de clins d'œil et de coups de coude complices, il avait clairement fait comprendre à son fils qu'il nageait en pleine félicité conjugale. Dans ce cas, tout allait bien. Alors pourquoi ne pouvait-il pas s'empêcher de penser à tout ça?

◆

Salter alla ensuite vérifier auprès de Ranovic les liens possibles avec l'escouade antidrogue.

— Ce type est inconnu de nos services, affirma le jeune sergent, ce qui signifie que ce n'était pas un trafiquant habituel.

— Merci. Le contraire m'aurait étonné. Je n'ai rien vu ni entendu qui indique une affaire de drogue. Je posais juste la question par acquit de conscience. (Il se leva pour prendre congé.) Et à la maison, comment ça va ?

— Ça ne s'arrange pas. Nous sommes d'accord sur tout, sauf sur le mariage. Elle va avoir le bébé, nous avons trouvé une gardienne philippine – c'est ce que tout le monde fait, de nos jours –, et nous allons continuer notre relation comme avant. Le hic, c'est qu'elle veut qu'on achète une maison dans le quartier de l'école Brown.

— Pourquoi ?

— Parce que l'école Brown offre un programme d'immersion en français.

— Ils ne recrutent pas au berceau, quand même ?

— Non, mais elle prépare l'avenir. Selon elle, c'est très important que notre enfant parle les deux langues officielles.

— D'ici à ce que votre enfant aille à l'école, le Québec sera indépendant et la deuxième langue officielle de l'Ontario sera l'italien. Vous devriez plutôt chercher une maison du côté de St Clair West.

— Nous en avons déjà parlé, elle et moi. Elle pense que si le Québec se sépare, il sera encore plus important de parler français, car la demande en professionnels aptes à travailler dans les deux pays sera forte. Franchement, tout ça me fait un peu chier. Chez moi, la deuxième langue officielle, ce sera le serbo-croate, et je ne parlerai qu'en serbo-croate quand je serai seul avec mon petit.

— Vous parlez encore bien le serbo-croate ?

— Non, pas vraiment, admit Ranovic en souriant. Mon père nous interdisait de le parler pour que nous, ses enfants, nous soyons de vrais Canadiens. Mais je vais suivre des cours. En passant, mon frère a épousé une Portugaise qui est très attachée à son héritage culturel à elle, de sorte que mes neveux doivent apprendre le portugais, ce qui n'est pas vraiment du goût de ma mère. Mon frère s'en fout, mais quand ma mère va les voir et qu'elle entend ses petits-enfants parler à son propre fils dans un portugais approximatif – le dimanche, c'est le jour où tout le monde doit parler portugais à la maison –, elle se dispute avec sa belle-fille.

— En anglais.

— Plus ou moins.

— Alors, votre enfant, vous allez l'élever en anglais, en français et en serbo-croate ?

— Et en philippin, aussi. N'oubliez pas la nounou.

— Seigneur ! Et avec tout ça, vous n'allez pas vous marier.

— Selon elle, si on se mariait, la société lui mettrait de la pression pour que ce soit elle qui s'occupe de notre enfant, ce qui signifie qu'elle devrait rester à la maison pour le garder. Ce sont ses propres mots. Elle a lu dans un magazine qu'il existe un courant néo-conservateur encourageant les femmes à jouer leur rôle traditionnel et elle ne veut en aucune manière y être associée. Elle affirme que la pression sociale est plus forte sur les femmes séparées que sur les mères de familles monoparentales. Elle dit ça pour le cas où ça ne marcherait pas entre nous. Vous n'avez pas idée des projets qu'elle fait déjà pour ce petit : elle parle à son ventre quand elle croit que personne ne l'entend. Mais elle n'arrive pas à se défaire de tout le contexte. Je suis pas mal sûr que c'était beaucoup plus facile pour votre génération, non ? Vous rencontriez une fille, vous la mettiez enceinte et vous l'épousiez. Pas vrai ?

— Hé ! Un peu de respect, Ranovic.

— Je ne parlais pas de vous en particulier, mais de votre génération. La plupart d'entre vous n'aviez pas de relations sexuelles avant le mariage, ou alors, juste avant, non ?

Ranovic regardait Salter d'un air inquisiteur.

— On n'est pas en Irlande, que je sache. Nous, on avait Millie. On allait la voir dans le garage tous les vendredis.

— Ah ouais ?

— Vous n'en saurez jamais plus, Gorgi. Mais tenez-moi au courant. J'espère que vous m'inviterez à votre mariage.

— Vous êtes en tête de ma liste d'invités. Désolé de ne pas vous avoir été utile pour votre enquête. Au fait, il ne jouait pas dans le film sur lequel on a travaillé l'été dernier ?

— C'est bien ça. C'était l'un des deux gars qui avaient essayé de tabasser le héros. On a tourné la scène derrière un entrepôt de King Street.

— Je devrais peut-être mener une petite enquête auprès des gens qui l'ont rencontré sur le tournage. Derek et Neville le connaissaient peut-être.

Ranovic faisait allusion aux deux maquilleurs dont il avait conduit le camion.

— Vous êtes toujours en contact avec eux ?

Ranovic eut l'air embarrassé.

— Mason Stone a tourné un film ici, dans China-town ; Derek et Neville m'ont permis d'entrer dans le camion de maquillage à quelques reprises.

— Avez-vous fini par avoir votre carte du syndicat ?

— Je suis sur le point d'être père de famille, je vous rappelle. J'ai besoin de revenus réguliers.

Salter résista à la tentation de lancer quelques autres plaisanteries. Visiblement, Ranovic n'était pas encore totalement remis de sa fièvre des planches, et il était peut-être trop vulnérable pour accepter la taquinerie.

— Entendu, interrogez-les. Trouvez tout ce que vous pourrez sur ce gars, ses habitudes de jeu, ses relations avec les femmes. Et demandez-leur ce qu'ils savent sur Connie Spurling, de même que si, à leur connaissance, Hunter avait des ennemis. Bref : je veux tout savoir.

CHAPITRE 6

Un bookmaker appela en début d'après-midi. Il s'appelait Maurice Taber, et son message était simple : ni lui ni personne de sa connaissance n'avaient jamais entendu parler de Hunter. Cela dit, il ne pouvait pas certifier que les tueurs de mauvais payeurs ne le connaissaient pas, car il n'était pas proche lui-même de ce milieu-là.

— Bien sûr, je suis à la retraite, précisa-t-il. Ce type pourrait être arrivé dans le paysage très récemment.

— Quand avez-vous pris votre retraite, monsieur Taber ?

Le bookmaker ignora la question.

— Autre chose ? demanda-t-il. J'aimerais vous aider, ne serait-ce que pour rendre service à un ami.

— Quel ami ?

— Joe Horvarth. J'ai su qu'il avait été mis en congé. Vous autres, les policiers, vous êtes aussi stupides que la plupart de mes anciens clients, vous en êtes conscients ?

Salter eut soudain envie de le rencontrer.

— Avez-vous du temps libre, maintenant que vous êtes à la retraite, monsieur Taber ? J'aimerais en savoir plus sur le fonctionnement de votre milieu. Pourrais-je vous offrir un verre ?

— Je passe souvent un peu de temps au bar de l'hôtel Mercury. C'est à environ quatre rues de votre bureau. J'y serai vers quatre heures. Ça vous va?

— Je ferai un saut.

◆

Le bar de l'hôtel Mercury était spacieux, sombre et, à quatre heures de l'après-midi, peu achalandé. Chacune des quelque vingt tables était entourée de quatre chaises. Le comptoir s'étendait sur environ un tiers de la longueur de la pièce, les deux tiers de mur restant étaient occupés par des box. Salter s'installa à une table située près du mur opposé. En quelques minutes, il repéra Taber; celui-ci était attablé dans le box du fond, et l'un des serveurs venait le consulter de temps en temps. Salter constata que chaque consultation était précédée d'appels téléphoniques que le serveur prenait au bar. Taber semblait avoir mis fin à sa retraite.

Salter héla un serveur, à qui il demanda s'il connaissait un certain M. Taber; il le vit parler avec le serveur de Taber, qui alla consulter son client, lequel adressa un signe de tête directement à Salter. Ce dernier traversa la pièce, laissant sur la table sa bière que le serveur ferait suivre, conformément à une vieille loi ontarienne selon laquelle il est interdit de se déplacer en public en tenant un contenant d'alcool à la main.

Maurice Taber était un homme très soigné et bien habillé âgé d'environ quarante-cinq ans; ses cheveux blonds plaqués sur son crâne évoquaient Fred Astaire. Lorsque Salter s'assit en face de lui, Taber s'adressa au serveur:

— Je veux parler à monsieur l'inspecteur sans être dérangé.

Le serveur hocha la tête avec empressement et regarda à droite et à gauche, au cas où s'approcherait un intrus qu'il devrait tuer. Salter se dit que les pourboires de Taber devaient être inoubliables.

— J'ignore comment je vais pouvoir vous aider, commença le bookmaker. Je ne connais pas ce... Hunter, c'est ça ?

Dès qu'il sut qu'il allait rencontrer un bookmaker, Salter s'était figuré un personnage à la Damon Runyon – ou, à tout le moins, un type avec un cigare. Mais Maurice Taber ressemblait à l'idée qu'il se faisait d'un représentant d'une profession paramédicale, du genre qui requérait des mains soignées et bien manucurées. Un podologue ou un dentiste.

Salter fit un signe de tête affirmatif.

— Que pourrait signifier le fait que vous ne le connaissiez pas ?

— En premier lieu, cela signifie qu'il n'est jamais allé au champ de courses de Woodbine. Avez-vous trouvé quelqu'un qui le connaissait ?

— Vous êtes le premier à m'avoir répondu.

— Aucune de mes connaissances n'a jamais entendu parler de lui, comme je vous l'ai dit au téléphone.

— Mais vous m'avez aussi parlé de gens que vous ne fréquentiez pas, lui rappela Salter.

— Depuis ce matin, j'ai sorti quelques autres antennes. Je ne crois pas qu'on le connaisse : personne ne l'a jamais rencontré. Je l'aurais su.

— Ce qui veut dire ?

— Ce qui veut dire qu'il faisait probablement affaire avec la Mafia. Savez-vous quelles sommes étaient en jeu ?

Salter le lui révéla.

Taber secoua la tête, surpris.

— Pour la Mafia, ce sont des broutilles. Rien qui vaille la peine qu'on tue, à mon avis. Cela dit, je me tiens à des millions de kilomètres de ces messieurs.

— Quoi qu'il en soit, il a bien été tué, monsieur Taber. Par quelqu'un qui avait des liens avec le monde du jeu.

— Soit. Je pensais que ça vaudrait la peine de sortir de ma retraite pour vous dire que ce n'était pas quelqu'un de chez nous. Nous, nous travaillons sur la confiance. Nous oublions les mauvaises dettes, mais nous retirons notre confiance aux mauvais payeurs. Si vous voulez mon avis, ce Hunter ne devait pas jouer dans la région de Toronto aux genres de jeux auxquels j'étais habitué.

— Mes sources sont plutôt affirmatives sur le sujet.

— Les miennes aussi. Si j'entends du nouveau, je vous en informerai. Mais ce n'est pas vraiment pour ça que je suis venu ici cet après-midi.

Salter jeta un coup d'œil par-dessus son épaule en direction du serveur qui se tenait debout près du bar.

— En effet, d'après ce que je vois, vous êtes venu ici pour ne pas perdre la main.

Taber fit signe au serveur de s'approcher; l'homme vint lui resservir une tasse de café.

— Enquêtez-vous toujours sur Joe Horvarth? demanda-t-il à Salter.

— Horvarth? Il avait à peine commencé à m'aider qu'il est parti en congé.

— J'ai entendu dire qu'il faisait l'objet d'une enquête pour avoir accepté des pots-de-vin.

— Vous avez de grandes oreilles, monsieur Taber.

— N'oubliez pas que c'est lui qui m'a appelé pour me demander de vous aider.

— Exact, reconnut Salter en hochant la tête: Taber avait le droit de poser des questions.

— Qu'est-il censé avoir fait?

— Avoir pris de l'argent, comme vous venez de me le dire.

— Comment a-t-il été surpris?

— Vous finirez bien par le savoir, comme tout le monde.

— Dans ce cas, laissez-moi vous dire…

— On dirait le genre de message transmis par la Mafia, l'interrompt Salter.

— … Laissez-moi vous dire que quiconque accuse Horvarth, c'est-à-dire votre patron, se met le doigt dans l'œil jusqu'au coude. Joe est le meilleur homme que vous ayez. Ou que vous ayez eu, vu qu'il ne vous sert plus à grand-chose, maintenant. Il m'a arrêté deux fois, et c'est la moyenne pour tous les gars sur lesquels il a un dossier. Il n'a jamais accepté le moindre pot-de-vin. Un verre à l'occasion, ça oui, mais jamais d'argent. En fait, Joe n'a rien contre le pari – d'ailleurs, il joue parfois un peu d'argent lui-même –, mais son boulot consistait à s'assurer que les jeux d'argent ne deviennent pas incontrôlables, et il y arrivait très bien. Il était fier de parvenir à enrayer ce type d'activité. S'il pouvait nous attraper en train de prendre de gros paris, d'organiser des parties de cartes illégales, d'escroquer les Shriners ou des trucs comme ça, il ne se gênait pas pour le faire. Et s'il ne le pouvait pas, personne d'autre ne le pouvait. De cette façon, tout était en ordre : Horvarth accomplissait son travail. Mais il n'y avait rien de personnel dans sa manière d'opérer : nous le connaissions, il nous connaissait, et il tâchait de nous attraper dès qu'il en avait l'occasion. Je l'aimais bien. Je lui faisais confiance, vous voyez ce que je veux dire?

— Confiance pour quoi?

— Pour ne pas me piéger. Avec lui, pas d'embrouilles. Il était honnête. Nous avons tous essayé de l'amadouer, mais nous l'avons fait juste une fois, pas deux. Même ça, il nous l'autorisait : on avait tous droit à un essai. Le fait qu'il n'acceptait aucun pot-de-vin était plutôt bon pour nous, aussi. En quelle langue faut-il que je vous le dise ? Horvarth était, et est toujours honnête.

Taber détourna les yeux de Salter et fit un léger signe de tête pour que le serveur se tienne prêt – signal qui indiquait aussi à Salter qu'il lui avait dit tout ce qu'il était venu dire.

— OK. Merci pour le message. Je vais le transmettre à qui de droit. Mais vous pensez bien que nous ne pouvons pas y ajouter foi. C'est exactement ce que vous diriez pour protéger un flic véreux que vous ne souhaiteriez pas voir remplacé. Mais à supposer que ce soit vrai, pourquoi me dites-vous tout ça ? Qu'est-ce que ça peut bien vous faire ? Vous l'aimez tant que ça ?

— J'aime savoir où je mets les pieds et avec Horvarth, les choses sont claires. Bon. Puis-je vous offrir un verre ?

— Je prendrais bien une tequila sunrise, juste pour que le serveur se rappelle ma tête quand on enquêtera sur moi, répondit Salter.

Taber lâcha enfin un sourire.

◆

Salter avait tout juste le temps d'intercepter le directeur adjoint avant que celui-ci ne rentre chez lui. Il lui rapporta la conversation qu'il avait eue avec Taber au sujet de Horvarth.

— Comme vous le dites, c'est à double tranchant, souligna Mackenzie. Soit ils essaient d'aider Horvarth parce qu'il est honnête et qu'il a joué franc jeu avec eux, soit ils tentent de l'aider parce que c'est tout le contraire. Qu'en pensez-vous ?

— Mon impression, c'est que si Taber pensait qu'Horvarth avait réellement été pris en flagrant délit, il aurait simplement fait une croix dessus. Je parierais que Taber dit la vérité.

— Dans ce cas, que fabrique Horvarth ? Regardez-moi ça !

Mackenzie ouvrit un tiroir duquel il sortit un cliché. Horvarth et un homme inconnu étaient debout dans un stationnement en train d'échanger ce qui était manifestement une liasse de billets.

— Peut-être que Horvarth ne l'a jamais prise. Impossible de déduire quoi que ce soit de cette photo. Peut-être même qu'il était en train de rendre l'argent.

— Le photographe a pensé à cette éventualité, rétorqua le directeur adjoint en brandissant tout un paquet de photos. Il a tellement mitraillé qu'on pourrait monter un film en mettant tous ces clichés bout à bout. Horvarth a pris l'argent, l'a mis dans la poche intérieure de son manteau, puis a serré la main du type.

— Vous ne pouvez pas faire grand-chose, c'est ça ? demanda Salter après un moment.

— Sans doute que non, et c'est loin de me réjouir. Vous savez comme moi que la leçon la plus importante que doit apprendre un jeune flic, c'est de ne jamais poser une question dont on ignore la réponse. C'est la meilleure façon d'éviter les surprises, et ça vous permet de détecter les menteurs. Ça ne me plaît pas du tout de n'avoir aucune idée de ce que Horvarth va nous répondre quand on va l'interroger.

Mackenzie considéra Salter d'un œil interrogateur.

— Je n'ai pas encore essayé de lui parler, répondit ce dernier.

Il savait où son supérieur voulait en venir, mais il désirait aller à son propre rythme. C'était toutefois la mauvaise réponse.

— Accepteriez-vous d'y aller ? J'ai besoin d'une opinion objective, reprit Mackenzie.

— Qu'avez-vous besoin de savoir, exactement ?

— Je veux qu'il vous dise ce qu'il fabrique et que vous me donniez votre avis là-dessus. Et surtout, je veux savoir si je peux prendre le risque de mener une petite enquête officieuse avant que tout ça ne soit rendu public. De faire venir tout ce petit monde ici pour qu'on voie ce qu'on a réellement.

— Les gars de la GRC aussi ?

— Si j'en ai le pouvoir.

— Je vais essayer. J'imagine que si je lui dis que c'est mon idée, il ne va pas se plaindre qu'on bafoue son droit à une audience publique.

— C'est exactement ça. Je veux des nouvelles dès que possible, hein, Salter ?

◆

Plus tard, alors qu'il traversait le College Park Shopping Centre pour aller au Pickel Barrel s'acheter un sandwich au corned-beef, Salter croisa Julie Peters, la fille du pasteur.

Au début, il ne la reconnut pas. Il vit une femme dans la jeune cinquantaine aux cheveux courts châtains mêlés de quelques fils d'argent, aux yeux bleus et au visage très légèrement hâlé sans maquillage ou recouvert d'un fond de teint appliqué de main de maître – Salter s'était déjà fait avoir par le passé. Mais le rouge à lèvres rose qui bavait à la commissure des lèvres lui fournit un indice : elle ne portait réellement aucun autre maquillage. Il remarqua ensuite les traits :

des rides profondes et expressives, une expression douce. Puis il détailla le tailleur rouge foncé qui semblait être en soie sur une blouse couleur crème, les souliers en cuir rouge. Il trouva l'ensemble joli.

Elle se tenait près de la porte de la librairie, feuilletant un guide des meilleurs endroits de Toronto. Bien caché derrière un magazine, Salter s'imagina un instant lui proposer un endroit qu'il connaissait. À ce moment-là, le premier voile se leva et il eut conscience que son visage lui était familier. Il plongea la tête derrière son magazine, effrayé à l'idée de se faire surprendre à convoiter la femme de son voisin.

Le voile suivant se leva tandis qu'il se rendait compte que ce n'était pas la voisine, qu'il connaissait cette femme depuis plus longtemps et pas seulement de façon superficielle. Il envisagea la possibilité qu'elle fût une amie d'Annie et se tint prêt à lui dire bonjour si c'était le cas ou bien, si la femme ne semblait pas le connaître, à arborer un air indifférent.

Le dernier voile se leva lorsqu'il comprit que cette femme lui était familière dans un autre contexte, qu'elle était probablement quelqu'un de célèbre, à la télévision, par exemple. C'était peut-être Barbara Walters. Il se rendit alors compte qu'il la connaissait depuis toujours, et il envisagea de feindre de l'attaquer, juste pour rire. (Une fois, chez Eaton, au rayon du linge de maison, il avait surpris sa femme, qui était en train de se pencher pour attraper un torchon en solde. Il lui avait pincé les fesses. À sa grande satisfaction, elle avait fait un bond incroyable qui s'était achevé dans une magnifique posture d'autodéfense, dix ans avant l'apparition du taekwondo au Canada. Salter avait cependant dû expliquer au chef de rayon qui les observait qu'ils étaient mari et femme, et celui-ci avait eu l'air de considérer que cela aggravait son cas.)

Au moment même où il sut qui était cette inconnue, elle leva les yeux comme une actrice qui sait que la caméra est sur elle et dit :

— Bonjour, Charlie.

— Julie Peters. Ça fait trente-quatre ans.

— J'aurais dit trente-trois, mais ça n'a aucune importance. Comment vas-tu ?

J'aurais dû lui serrer la main, se morigéna-t-il.

Il se rappela que lorsqu'elle avait dix-huit ans, elle avait toujours les doigts tachés d'encre et les ongles pas très propres. Il aurait pensé qu'avec l'âge, c'était le genre de détail qui disparaissait, mais les ongles de Julie Peters étaient toujours aussi peu nets, et les restes du vernis qu'elle avait dû appliquer à la hâte l'avant-veille ne cachaient même pas la misère. Ce détail était très révélateur d'un de ses traits de caractère de l'époque, qu'elle semblait toujours avoir : c'était une fille séduisante qui savait s'habiller selon les circonstances mais refusait de sacrifier trop de temps à ce qu'elle considérait comme des frivolités typiquement associées à l'image de la féminité.

Au fil des années, chaque fois qu'il lui était arrivé de penser à elle, il la cernait de mieux en mieux. Elle était dotée d'une intelligence très vive, et la plupart des autres femmes l'agaçaient. C'était un bas-bleu en devenir, une pédante qui portait sur les rites d'accouplement des étudiants de premier cycle un regard amusé qui ne masquait pas totalement son incertitude quant à la manière d'y prendre part : elle voulait qu'on la touche mais restait hors d'atteinte, cherchant le moyen de se blinder avant de s'exposer.

Ils s'étaient rencontrés en première année de baccalauréat, s'étaient un peu disputés. Puis elle était partie faire sa deuxième année à McGill. Cet été-là, elle lui avait écrit deux fois, mais il n'avait pas répondu, ne se sentant pas assez proche d'elle pour se lancer dans une relation épistolaire de vieux amis. Ce n'est que plus tard qu'il avait compris que ses longues lettres verbeuses, truffées d'anecdotes, spirituelles et emplies de phrases fort bien construites mais dont la conclusion restait maladroite, reflétaient parfaitement le désir de Julie de rester en contact, mais hors de portée. Elle établissait la communication, mais avec prudence.

Ils s'étaient revus brièvement le temps d'un café au Diana Sweet au début de l'automne suivant, et il l'avait encore trouvée à son goût, même s'il ne parvenait toujours pas à capter les signaux de la jeune fille – si tant est qu'elle en émît. Elle était très nerveuse – elle avait parlé sans cesse, tournant la tête à droite et à gauche soit pour voir qui était dans le café, soit pour éviter tout contact visuel avec Salter –, ce qui avait conduit ce dernier à penser que la tension sexuelle qu'il ressentait n'était pas de son seul fait à lui. Il avait pensé qu'elle souhaitait qu'il lui fît la cour, mais il redoutait que s'il tentait quoi que ce fût, elle paniquât tant qu'elle tournerait tout en dérision, et il ne voulait pas en prendre le risque. Ils s'en étaient donc une fois encore tenus à une forme de taquinerie qui leur avait permis de se tenir mutuellement à distance.

Ils s'étaient de nouveau rencontrés à Noël, apparemment pour comparer leurs notes de cours, mais Salter n'en était pas sûr.

— Et côté cœur, comment ça va ? avait-elle demandé au beau milieu d'une conversation qui portait sur tout autre chose.

Ils s'étaient retrouvés devant une bière au King Cole Room, et pour une fois, Salter avait eu l'avantage sur Julie : il s'était en effet aperçu qu'elle n'avait pas l'habitude de fréquenter les bars, même les repaires d'étudiants, et qu'en jetant des coups d'œil enjoués aux autres clients, elle cherchait des indices de la manière dont elle devait se comporter en pareilles circonstances tout en vérifiant que la salle n'était pas pleine d'alcooliques et de prostituées – et elle faisait tout pour que son regard indiquât sa tolérance si toutefois c'était le cas.

Lorsqu'il avait essayé de répondre à sa question, elle avait encore fui : elle avait hoché la tête et l'avait interrompu après trois mots. À ce moment-là, la dernière amie de cœur de Salter, une petite blonde prénommée Wendy, étudiait la chimie. Il l'avait raccompagnée chez elle après une surprise-partie (c'était en 1958) à University College. Elle l'avait fait entrer dans l'âge adulte en lui faisant comprendre qu'elle voulait qu'il lui fît l'amour sur le sofa après avoir crié à ses parents du bas de l'escalier qu'elle était bien rentrée. Ils avaient continué à se voir le samedi soir pendant quelques mois, mais leur relation s'était limitée à leurs ébats sur le sofa, parce qu'ils n'avaient presque rien en commun et que, même si elle était douée pour les sciences, elle était par ailleurs d'un naturel taciturne. Et puis, un samedi soir, elle n'avait pas été libre pour Salter, qui ne l'avait jamais revue, et il en avait déduit qu'il avait dû commettre un impair, sans toutefois savoir sur quel plan. Néanmoins, Wendy lui avait conféré une sorte de virilité qu'il était rare d'obtenir de cette manière à l'époque, et elle l'avait laissé libre de choisir ce qu'il voulait en faire à l'avenir.

Attablé au King Cole Room en compagnie de Julie, le jeune Salter s'était demandé si le fait d'avoir eu une expérience sexuelle avait changé, fût-ce subtilement, sa façon de parler et d'agir – il se rengorgeait en y songeant, car il comprenait bien désormais la teneur de leurs relations. Elle voulait tout savoir sur le sexe, de préférence par procuration (son père était pasteur de l'Église unie), et elle partait du principe qu'à Cabba-getown, quartier populaire où avait grandi Salter, les jeunes se pelotaient à l'arrière des voitures dès l'âge de douze ans.

— Est-ce que je la connais ? lui avait-elle demandé, faisant ainsi un nouveau pas en avant.

Elle avait continué à regarder tout autour, cette fois pour lui montrer que la conversation ne l'intéressait pas vraiment.

— J'en doute. Elle n'était pas à Vic.

— Une fille du coin ?

Il avait compris ce qu'elle voulait dire : une fille de Cabbagetown. Pas vraiment une fille de la ville, mais presque. Salter avait constaté qu'elle déployait beaucoup d'efforts pour rassembler les indices des progrès de Salter dans le monde de la luxure.

— Elle était de Toronto, oui. Étudiante en chimie.

— Un cerveau, alors ? (Elle chercha une issue.) « Était » ? A-t-elle disparu de la circulation ?

— Ça n'a pas duré, en effet.

— Dommage. Je suis sûre que tu trouveras bientôt une autre fille.

Son ton fraternel et protecteur avait certainement traduit son souci de dire les mots justes dans un do-maine qui lui était totalement étranger, mais Salter en avait été agacé.

— Et toi ? lui avait-il lancé. Toujours vierge ?

La question était moins brutale qu'il n'y paraissait : au fil de leurs rencontres à la cafétéria de l'université, ils avaient acquis une certaine liberté de ton. Elle n'y dérogea pas :

— Hé, je suis à McGill, je te rappelle ! Tu n'as jamais entendu parler de nous ? Bon, il faut que j'y aille. Je dois aider papa à écrire son sermon.

Cela se voulait une blague, mais ce n'en était pas une en même temps. Elle lui révélait bien des choses en disant ça, dont la plus importante était qu'elle n'était pas prête à se révéler.

Salter avait abandonné l'université après Noël. Pendant une discussion sur un poème qu'il n'avait pas lu – et n'avait nullement l'intention de lire –, il s'était surpris à compter les briques sur le mur de la classe. Même chose en histoire, en économie et en sociologie. S'en était suivi un bref intermède au cours duquel il avait essayé d'embarquer dans la marine de commerce, mais il avait échoué, faute de carte syndicale. Et un jour, il avait rencontré un policier qui jouait dans la même équipe de hockey amateur que lui, et il avait décidé d'entrer dans la police.

Et maintenant, trente ans et deux mariages plus tard, le voilà qui sentait de nouveau les vibrations qui émanaient de Julie Peters, et il se demanda si les choses changeaient vraiment. Comme elle lui avait demandé comment il allait, il lui répondit :

— Je vais bien, merci. Et toi ? Toujours vierge ?

Un jeune homme qui se trouvait de l'autre côté d'une étagère de livres leva la tête, abasourdi.

— J'ai oublié ma réplique, rétorqua-t-elle. Dans quelle direction vas-tu ?

Ils quittèrent la librairie et se dirigèrent vers College Street.

— Pourquoi m'as-tu posé cette question ? lui demanda-t-elle, déconcertée mais un tantinet badine.

— Tu ne m'avais jamais répondu. J'ai pensé qu'aujourd'hui tu pourrais le faire.

— Je ne m'en souviens pas, fit-elle, sibylline. Tu retournes au travail ? ajouta-t-elle en désignant du menton le quartier général de la police de Toronto.

— Tu as mené ta petite enquête sur moi ?

— Pas vraiment, mais je suis tombée sur Molly par hasard.

— Qui diable est cette Molly ?

— Molly Pride. Elle tient le rôle de la mère dans cette pièce de théâtre. Celle dans laquelle jouait l'acteur qui est mort.

— Et comment la connaîtrais-je ?

— Elle était avec nous à Vic.

— Eh bien, on dirait une vraie réunion de promo, lança Salter en scrutant la rue. Tu veux un verre ? proposa-t-il en pointant le doigt en direction d'un édifice situé au coin de College et de Yonge.

Elle consulta sa montre, secoua la tête, fouilla la rue du regard comme si elle cherchait sa limousine et répondit :

— D'accord. Pourquoi pas ?

Elle avait clamé sa réponse suffisamment fort pour qu'il soit clair que, pour audacieuse qu'elle fût, elle ne devait pas être prise pour un signe de consentement mais comme une parodie de coup de folie ; Salter et elle traversèrent la rue en direction du Hop and Grapes.

Salter prit une Creemore et offrit à Julie le gin tonic qu'elle avait commandé. Elle remplit son verre jusqu'à ras bord et en brassa énergiquement le contenu comme s'il s'était agi d'un Alka-Seltzer.

Après une gorgée de bière, Salter se détendit et se demanda quelle vue il pouvait bien offrir à Julie : la plupart des cheveux châtains dont elle se souvenait peut-être avaient disparu. Il n'était pas chauve ; ses cheveux étaient simplement fins et mous. Un peu de couperose était apparue sur ses joues, plus à gauche qu'à droite. Et lorsqu'il baissait le menton, la peau de son cou ondulait jusqu'à son col. Il entendait encore bien et pouvait lire sans lunettes – à condition que les caractères soient d'une taille raisonnable. En levant son verre, Salter essaya de se tourner de manière à voir son reflet dans le miroir situé derrière le bar, puis remonta le menton.

— Tu n'as pas changé d'un iota, lui confia-t-elle. Absolument pas. Tu ressembles comme deux gouttes d'eau au gars qui suivait Histoire 101 avec moi.

Elle avait pris sa décision : elle aurait pu se résoudre à prétendre le contraire et se mettre à détailler tous les changements, mais la tactique qu'elle avait choisie l'aidait à dissiper sa nervosité.

— Toi, oui, par contre, répliqua Salter.

Elle entreprit de réciter deux ou trois vers dans lesquels il était question d'une jolie fille qui se transformait en sorcière.

— Pas du tout, protesta-t-il sans reconnaître la citation mais captant le sous-entendu. D'ailleurs, tout à l'heure, à la librairie, avant de savoir qui tu étais, j'avais l'intention de te faire des avances.

— Peuh, fit-elle avec un geste destiné à dissiper ces niaiseries.

— Tu es magnifique, insista Salter.

Elle grimaça comme s'il avait projeté quelques gouttes de bière sur son tailleur.

— Raconte-moi ce que tu es devenu, Charlie. Alors comme ça, tu es policier.

— Exactement. Depuis maintenant trente-trois ans.

— Tu es inspecteur en chef, m'a dit Molly.

— Ça n'existe pas : je suis inspecteur d'état-major. Et toi ?

Elle éluda la question et le considéra d'un air interrogateur :

— Tu es marié ? Évidemment que tu l'es, s'empressa-t-elle d'ajouter.

— Je me suis marié deux fois. Une fois pour une année, et l'autre, pour la vie. J'ai deux garçons, l'un est à l'université et l'autre encore au collège, et il veut devenir acteur. Et toi ?

— Je suis grand-mère.

— Qui as-tu épousé ?

— Un biologiste. J'ai fini par aller en sciences. Je l'ai rencontré à la maîtrise.

— Il a un doctorat, évidemment.

Elle haussa les épaules : la remarque était maladroite.

— Charlie Salter, dit-elle d'un air mi-attendri, mi-condescendant. Le grand inspecteur.

— Tu vis à Toronto ?

— Non, à Ottawa. Bill est doyen de sa faculté. Quant à moi, je n'enseigne plus.

— Qu'es-tu venue faire en ville ?

— Je suis venue assister à une réunion. Je travaille pour une organisation caritative.

Sans même avoir à le demander, il savait qu'elle était la présidente de cet organisme, quel qu'il fût. Tout en elle indiquait l'habitude de recevoir tous les égards.

— Combien de temps dois-tu rester à Toronto ?

— Deux semaines. Je suis arrivée samedi.

Pourquoi était-elle aussi précise ?

— On devrait se revoir.

— J'aimerais beaucoup faire la connaissance de ta femme.

— Désolé, c'est impossible. Elle est auprès de son père, à l'Île-du-Prince-Édouard.

— Peut-être la prochaine fois, dans ce cas. C'était tout un choc de te rencontrer comme ça par hasard. Bon. Il faut que j'y aille.

— Nous pourrions aller dîner ensemble. À quel hôtel es-tu descendue ?

— Au Chelsea. Non, merci. Je dois retrouver des collègues. Nous mangeons à l'hôtel.

— Je vais t'accompagner un bout. C'est à peine à deux ou trois rues d'ici.

Elle avait l'air troublée.

— Non, non. Il faut que je me dépêche, expliqua-t-elle en ramassant son livre et son sac à main. Prends un autre verre, suggéra-t-elle en lui tapotant la main.

— Je t'appellerai.

— Nous avons un emploi du temps très serré... Entendu, si tu veux. Nous pourrons sans doute trouver une demi-heure pour bavarder un peu.

◆

Lorsqu'il arriva au bureau, le jeune policier qui était de garde à l'accueil lui annonça qu'une femme d'âge moyen vêtue de rouge l'avait demandé; elle n'avait pas laissé son nom.

— Je lui ai dit que je vous avais vu prendre la direction de College Park.

Sa rencontre avec Julie Peters n'était donc pas une coïncidence.

CHAPITRE 7

Le chef adjoint était encore dans son bureau.

— Vous avez déjà rencontré Horvarth ? s'enquit-il dès que Salter entra.

— Non, je le vois demain.

— J'aimerais vraiment que cette affaire soit réglée.

Mackenzie se passa un doigt sous la lèvre puis se gratta une croûte au coin de la bouche. Le doigt fit ensuite une brève incursion dans une de ses narines, et pour finir, le chef adjoint se massa l'arête du nez.

— Quoi de neuf du côté de l'acteur qui a été tué ? demanda-t-il enfin.

Salter lui rapporta ce qu'il avait appris jusque-là.

— Ça ressemble toujours à une affaire mafieuse.

Mackenzie émit un grognement.

— Maintenant, vous en savez autant que nous tous. Commencez à creuser, d'accord ? J'aimerais que cette affaire-là aboutisse, elle aussi.

— Je vais aller m'entretenir avec l'une des actrices qui joue dans la pièce, annonça Salter à Peterman.

Ce dernier se leva et entreprit d'enfiler sa veste.

— Ce n'est pas nécessaire que vous m'accompagniez pour le moment, indiqua Salter. Nous aurons peut-être besoin plus tard de parler à tous ceux qui l'ont connu : je prends seulement un peu d'avance.

— Qu'a-t-elle de spécial, cette actrice-là ?

— Je veux me faire une idée des sentiments des autres acteurs à l'égard de Hunter.

— Et pourquoi cette actrice ?

— À mon avis, elle est le meilleur choix pour commencer à creuser un peu.

— Mais pourquoi ?

— D'après ce qu'on m'a dit, j'ai été à l'université avec elle.

Peterman reposa sa veste et s'assit.

— Vraiment ? J'imagine que c'est à cela que ça sert, d'étudier.

Avant tout mouvement, Salter passa voir Horvarth. Il avait un moment envisagé de feindre d'avoir besoin de ses lumières pour l'affaire Hunter, mais il abandonna cette tactique au profit d'une approche plus directe.

Le sergent vivait sur Glencairn Avenue, dans une agréable maison d'une soixantaine d'années pourvue d'une grande cour arrière. Apparemment, le plan cadastral avait été tracé à une époque où cette partie de Toronto était encore abordable. Depuis, le métro avait fait son apparition dans le quartier et l'immobilier avait connu une véritable flambée dans toute la ville, de sorte qu'il était impossible pour un jeune sergent de s'installer dans ce quartier, car son salaire aurait à peine couvert l'hypothèque.

Horvarth fit traverser toute la maison à Salter pour l'emmener jusque dans la cour, où il était occupé à tondre son gazon. Voyant le regard admiratif que Salter portait sur son domicile, il se justifia :

— La maison appartenait aux parents de ma femme. Son père était instituteur; il l'avait payée vingt mille dollars en 1955. Il paraît qu'elle en vaut maintenant six cent mille.

Une histoire comme il y en avait tant.

— Vos beaux-parents vivent avec vous? s'informa Salter.

Horvarth fit un signe de dénégation.

— Mon beau-père est décédé. Quant à la mère de Shirley, elle refuse de vivre avec nous. Nous avons donc convenu que nous payerions le loyer de son appartement, en échange de quoi elle nous a laissé la maison. C'est une vraie chance pour nous. Shirley est fille unique, et elle est née dans cette maison.

Salter décida d'entrer dans le vif du sujet:

— Le chef adjoint aimerait bien avoir une petite conversation avec vous.

Horvarth enroula le cordon électrique de la tondeuse autour de la poignée et s'essuya les mains sur son pantalon.

— Vous voulez du café? proposa-t-il.

— Avec plaisir, répondit Salter en prenant place dans l'un des fauteuils qui entouraient la table du patio. Avec de la crème, mais sans sucre.

— Je ne quitte pas la maison. Il aurait pu m'appeler, fit observer Horvarth lorsqu'il revint.

Le sergent se pencha pour donner son café à Salter et s'installa dans un fauteuil.

— Qu'est-ce que vous mijotez, Joe? lança Salter.

— C'est le chef adjoint qui vous a demandé de me poser cette question?

Horvarth ôta l'un de ses mocassins et le tapota par terre pour en extraire des bouts de gazon.

— Il n'en a pas après vous. Pas encore.

— Bien sûr que oui! Il n'a pas le choix.

— Il a un problème : il a des photos où l'on vous voit en train de prendre de l'argent.

— Des photos ? Qui les a prises ?

— Je l'ignore.

— Moi de même. Mais lui, il le sait. J'aimerais bien le découvrir.

Horvarth entreprit de nettoyer son autre soulier.

— Et c'est tout ? Vous voulez juste savoir qui est derrière tout ça ?

— Ouais.

— J'ai vu les photos en question et pour moi, ça ne change pas grand-chose de savoir qui les a prises.

— Pour moi, oui. Si on me traîne devant un tribunal officiel, je finirai bien par le savoir, non ?

— Si c'est le cas, vous pourriez perdre votre emploi. Et selon les règles qui s'appliqueraient, vous pourriez même aller en prison. Vous y avez pensé, à ça ?

Horvarth hocha la tête : oui, il y avait songé.

— Que veut-il ?

— Vous savez, il est de la vieille école. Il désire… comment disent les politiciens, déjà ? « Limiter les dégâts ». Mais il ne veut pas qu'on l'accuse pour autant d'étouffer l'affaire, surtout pas maintenant qu'a été créée cette nouvelle commission de police. Il va bientôt prendre sa retraite et n'a vraiment pas envie qu'une maudite affaire de corruption policière sorte au grand jour avant son départ. Mais s'il pense que ça pourrait devenir compliqué pour lui à gérer, il la laissera sortir.

— Et donc, il voudrait qu'on ait une petite conversation dans son bureau, juste lui et moi, afin qu'il puisse voir comment il pourrait régler le problème sans causer trop de dommages, c'est bien ça ?

— C'est bien ça.

— Non.

— Comment ça, non?

— Je vais vous dire, monsieur: si nous avions cette petite discussion, ça s'arrêterait là. Il serait content, et je serais réhabilité. Mais moi, ça ne me suffirait pas: je veux une enquête.

— Seigneur! J'ai vu les photos, Joe. Vous avez une explication?

— Comme je vous l'ai déjà dit, je réserve ma défense. Vous voulez encore un peu de café?

Salter tendit sa tasse: il devait trouver un autre angle d'attaque.

Lorsque Horvarth revint avec le café, Salter prit les devants:

— Très bien. Je vais transmettre le message à Mackenzie. Je crois savoir ce qui va se passer: il va dire « Et puis merde! », et il va lancer une enquête. Mais si vous faites le malin, il va vous jeter aux loups. Si vous ne donnez aucune explication sur ces photos – et je ne vois pas très bien comment vous pourriez justifier ce qu'on y voit – et que vous vous pointez en public avec une espèce de défense merdique qui ternit son service, il se fera un plaisir de fournir la corde qui vous pendra. Mais si ce n'est pas vous qu'on voit sur ces clichés, mais votre frère jumeau ou que sais-je encore, ça fera quand même les choux gras des journalistes et ça ne lui plaira pas du tout. Dans tous les cas, je ne vois vraiment pas ce que vous gagnez.

Horvarth haussa machinalement les épaules; Salter changea de sujet afin de lui laisser le temps d'assimiler son message.

— J'ai rencontré Taber, hier. Il m'a dit ce que je voulais savoir, mais ça ne s'applique qu'à lui et aux gens qu'il connaît. Ce que j'ai besoin de découvrir, c'est si quelqu'un prenait les paris de Hunter.

— Avez-vous vraiment rencontré Taber?

— Oui, à l'hôtel Mercury.

— Nom de Dieu! s'exclama Horvarth, un léger sourire aux lèvres. Alors, c'est qu'il avait un message à faire passer.

— En effet: il m'a dit que vous étiez honnête.

— Mais vous ne feriez pas confiance à un bookmaker, n'est-ce pas? Quoi d'autre?

— Il m'a aussi dit qu'il ne connaissait pas Hunter.

— Redemandez-lui. Il a d'excellents contacts, et il finira par savoir qui encaissait les paris de Hunter.

— Demandez-lui, vous. Appelez-le. Dites-lui que c'est important pour vous. Dites-lui que j'ai besoin de ces renseignements, et que ça pourrait vous aider de me les transmettre. Parce que quel que soit le petit jeu auquel vous vous livrez en ce moment, vous pourriez un jour être content que quelqu'un ait du bien à dire de vous.

Horvarth lui jeta un coup d'œil surpris.

— Entendu. Mais je vais lui demander de vous appeler.

— C'est qui, sur ces photos, Joe?

— Comment le saurais-je? Je ne les ai pas vues, répondit Horvarth, le regard perdu vers son jardin.

Je vais interroger ses collègues, se promit Salter. *Et Taber, aussi*.

Il reposa sa tasse et se leva.

— Eh bien, au moins, j'aurai essayé.

— Qui assisterait à ce petit entretien que Mackenzie veut avoir avec moi? demanda Horvarth au moment où Salter allait partir.

— Seulement vous et lui.

Horvarth secoua la tête.

— Ce n'est pas suffisant. Je veux voir mes accusateurs dans le blanc des yeux. Et je veux savoir si on me reproche une ou plusieurs choses. J'ai besoin qu'on ouvre une enquête.

Il raccompagna Salter à sa voiture ; ce dernier attendit que le sergent ajoutât quelque chose, mais il se contenta de lui adresser un signe de la main avant de repartir en direction de sa maison, où il s'apprêtait à remettre en route sa tondeuse électrique.

◆

Molly Pride était une bonne femme entre deux âges, mal attifée et totalement dépourvue de maquillage – l'idée même que Salter se faisait d'une buandière. Ses cheveux étaient aplatis par une sorte de calotte en corde ; elle avait le teint grisâtre et la peau sèche, et ses dents étaient jaunies par le tabac. Salter la rencontra dans le théâtre, deux heures avant la représentation.

— À ce qu'on m'a dit, vous ne connaissiez pas Hunter avant de jouer avec lui dans cette pièce.

— C'est exact. Et il n'a pas manifesté grand intérêt à mon égard après avoir fait ma connaissance, remarqua-t-elle avec une pointe d'ironie, parfaitement consciente de son manque d'attrait aux yeux d'un homme comme Hunter.

— Avait-il des… « amies » au théâtre ?

— Pas que je sache. Mais plus rien n'aurait pu me surprendre, le connaissant : c'était un salaud de la pire espèce.

— J'imagine que les hommes ne l'appréciaient pas tellement.

— Turgeon, le régisseur, était ce qui s'approchait le plus d'un ami, pour lui. Mais pourquoi me demandez-vous tout ça ? Ce connard ne m'intéressait pas du tout.

— Justement, vous étiez comme une spectatrice : parfois, un regard extérieur voit davantage de choses, lui expliqua-t-il en jetant un coup d'œil à sa montre.

— Ah ouais ? se rengorgea Molly Pride avec un sourire satisfait.

Salter se demanda si elle se doutait du but de sa manœuvre et si l'occasion se présenterait d'en venir au sujet qui l'intéressait vraiment.

— Vous ne devez pas vous préparer ?

On entendait des bruits en provenance des coulisses. Derrière eux, perché tout en haut, près du toit, un technicien se promenait au milieu des éclairages. Au moment où Salter leva les yeux, un projecteur éclaira brièvement la scène.

— C'est Russel, expliqua Molly. L'éclairagiste.

— Il reste assis là-haut pendant toute la représentation ?

— Il vit pratiquement sur cet échafaudage.

Le projecteur s'alluma de nouveau puis s'éteignit lorsque les lumières de la salle prirent le relais. Salter se retourna vers Molly Pride.

— C'est une bonne pièce ?

— Perry est un bon auteur. D'habitude, je joue des rôles de femmes droites, honnêtes et vertueuses, mais là, il m'a donné un vrai rôle. Cela étant, pour que ça marche, je dois servir de faire-valoir aux autres acteurs. Restez voir la pièce et vous comprendrez. Pendant tout le premier acte, je dois préparer la place au personnage qui émerge dans le deuxième acte. Je suis géniale, vraiment, dit-elle avec un large sourire d'autodérision, avant d'ajouter : Cela dit, c'est assez vrai. C'est le rôle que j'ai toujours attendu. Je connais bien le type de femme qu'incarne mon personnage : c'est la « sacrificatrice ». Tout au long du premier acte, on nous ressasse combien elle s'est dévouée à toute sa famille. Et au deuxième, on découvre que c'est en fait elle qui a sacrifié sa famille pour que les choses aillent comme elle l'entendait. De son point de vue à elle, elle a consacré toute sa vie à ses proches et elle ne supporte pas qu'ils essaient de vivre leur vie en s'éloignant d'elle. Revenez voir la pièce une deuxième fois pour comprendre comment je passe de mère nourricière à mère dévoratrice.

— Julie Peters vous a trouvée sensationnelle, commenta Salter, heureux d'avoir trouvé la transition idéale.

— Elle a fini par vous retrouver ? Je suis heureuse que la pièce lui ait plu. Au fait, elle m'a dit que vous étiez à Vic, vous aussi. Je ne me souviens pas de vous.

— Je n'y suis pas resté longtemps.

— Assez longtemps pour y rencontrer Julie, quand même. Sortiez-vous ensemble, quelle que soit la signification de ce mot à l'époque ? Connaissant Julie, je suis persuadée que ça ne devait pas signifier beaucoup, d'ailleurs.

Molly alluma une cigarette avec le mégot de la précédente.

— Je ne vous le fais pas dire. Comment mon nom a-t-il surgi ? s'enquit Salter.

— Elle est venue me voir en coulisses après une représentation. Pour être franche, je me rappelais à peine d'elle, aussi ai-je été très surprise de sa visite. Et là, je me suis souvenue qu'elle faisait partie de l'état-major du Mouvement des étudiants chrétiens. Elle y était la représentante des étudiants de première année. Je n'appartenais à aucun groupe de ce genre. Bref. Elle m'a demandé à quoi vous ressembliez maintenant, mais je ne vous avais pas encore vu. Comment savait-elle que vous meniez cette enquête ?

— Vous avez sans doute cité mon nom à un moment donné.

— Moi ? Votre nom ne me disait strictement rien avant qu'elle ne commence à m'en parler. Et même à ce moment-là, pour être honnête, j'étais incapable de me rappeler de vous.

Molly Pride recula dans son fauteuil ; elle examina Salter à travers un nuage de fumée, puis secoua la tête :

— Et votre visage ne me dit toujours rien. Comment vous a-t-elle retrouvé ?

— Nous nous sommes rencontrés par hasard dans une librairie.

— Eh bien ! Si ma mémoire ne me jouait pas des tours, nous pourrions organiser une sorte de réunion de promo. Bon. Il faut que j'y aille. Désolée de ne pas pouvoir vous être plus utile pour Hunter.

— Vous m'avez été plus utile que vous ne le croyez.

— Bon. Voilà Bill. Bill, viens ici, que je te présente à ce charmant policier. Dis-lui ce que tu sais sur Hunter.

Salter avait déjà repéré le Bill en question : cela faisait un moment qu'il traînait dans les parages à réparer les gonds d'une porte du décor. C'était un petit homme trapu et solidement bâti qui portait des lunettes cerclées de métal et arborait une moustache en guidon de vélo. Il posa son tournevis et s'approcha en essuyant ses mains sur son pantalon.

Salter se leva :

— Charlie Salter, de la police de Toronto, dit-il. Madame Pride m'a conseillé de parler avec vous. À ce qu'on m'a dit, vous connaissiez Hunter mieux que quiconque.

— Madame qui ? demanda Turgeon en regardant Molly qui s'éloignait. Ah ! Molly, vous voulez dire. Désolé. Le nom ne me disait rien, ajouta-t-il en riant.

Salter comprit que Turgeon plaisantait pour se mettre à l'aise.

La voix de Molly émergea des coulisses :

— Désormais, je veux que les machinistes de base m'appellent « madame Pride ».

Turgeon se dégota un fauteuil et les deux hommes s'assirent face à face. Turgeon croisa les bras et son visage afficha une expression traduisant sa serviabilité.

— Comment puis-je vous être utile, monsieur ?

— Parlez-moi de Hunter. Vous étiez son ami le plus proche, c'est ça ?

— À vous entendre, on pourrait croire qu'on couchait ensemble, rétorqua Turgeon en gloussant. Apparemment, vous ne connaissiez pas Alec.

— C'est pour y remédier que je suis ici.

— Eh bien, pour commencer, à part son métier d'acteur, il ne s'intéressait qu'aux femmes. Il était accro au sexe. Pas au point d'être complètement dépendant : il avait juste un appétit sexuel au-dessus de la normale, mettons. Cela dit, le plus drôle, c'est que dans le milieu, toutes les femmes le savaient, mais il n'avait aucun mal à les mettre dans son lit. Après coup, elles devaient le détester, mais sur le moment, elles ne lui disaient jamais non.

— J'ai rencontré Connie Spurling : elle semble croire que tout cela a pris fin quand Hunter et elle ont commencé à sortir ensemble.

— Elle le croit vraiment ? rétorqua Turgeon d'un air entendu. En fait, l'attitude de Connie ne servait qu'à pimenter les choses pour Alec. Il aimait prendre des risques. Connie est une femme que personne n'aimerait avoir comme ennemie et pourtant, Alec prenait un malin plaisir à la tromper.

— Depuis combien de temps le connaissiez-vous ?

— Pas très longtemps. Je l'ai rencontré l'été dernier à Brighton, où je travaillais à l'époque.

— Vous l'aimiez bien ?

Turgeon prit le temps de réfléchir à la question.

— Vous devez comprendre qu'il n'y avait chez lui pas grand-chose à aimer au sens courant du mot. Les femmes étaient attirées par lui pour les raisons habituelles, mais les hommes ne l'appréciaient pas. Cela dit, il s'en foutait. Baiser et faire l'acteur étaient tout ce qui importait à ses yeux. Il y avait les jeux d'argent, aussi. C'était quoi, votre question, au fait ? Ah oui : si je l'aimais bien. Disons plutôt que je ne le dérangeais pas, contrairement à d'autres. Je m'entendais assez bien avec lui.

— Qu'aviez-vous en commun ?

— Rien. Je lui avais rendu quelques services.

— Lesquels ?

— Pour l'essentiel, je lui fournissais des alibis.

— Pourquoi ?

— Parce qu'il me le demandait. À cause de Connie. J'avais décidé de faire tout ce que je pourrais pour emmerder cette bonne femme, alors je lui racontais des mensonges pour couvrir les escapades d'Alec. Il faut que vous sachiez qu'elle pourrit la vie de tout le monde, à Brighton comme ici. Je ne pouvais pas supporter cette peau de vache. Elle me traitait comme de la merde.

— Vous couvriez Hunter souvent ?

— Chaque fois qu'il me le demandait.

— Que savez-vous de ses rapports avec le jeu ?

Turgeon secoua tristement la tête.

— Je sais que ça l'a tué.

— Jouait-il à Brighton ?

— Je le pense, mais je n'étais pas concerné par cet aspect-là de sa vie. Je lui disais que c'était un passe-temps pour les cons.

— Où jouait-il ?

— Je crois qu'il allait aux courses à Fort Erie.

— Avait-il un bookmaker ?

— Il ne m'en a jamais parlé. S'il en avait un, j'imagine qu'il aurait dû aller à Niagara Falls. Il n'y avait aucun bookmaker à Brighton. Comme je vous l'ai dit, je n'ai jamais su grand-chose sur cet aspect de ses activités, sauf que ça avait empiré dernièrement. Je suis presque certain qu'il avait des gars à ses trousses.

Il m'avait plusieurs fois demandé d'aller jeter un coup d'œil dans le hall de son immeuble avant qu'il sorte de l'auto, les fois où je le raccompagnais après la représentation. Je n'y ai jamais vu personne, mais le fait est qu'il avait peur de quelqu'un.

— L'avez-vous vu ou lui avez-vous parlé le jour de sa mort?

— C'était dimanche, c'est ça? Non. Nous ne nous voyions pas en dehors du travail. Après son départ du théâtre samedi soir, je ne l'ai pas revu. Connie Spurling était venue le chercher.

Salter entendit des voix en provenance du fond de la salle. Turgeon regarda l'heure.

— Avez-vous revu Connie Spurling depuis ce jour-là? demanda Salter.

— Je suis allé lui rendre visite à son bureau pour lui offrir mon soutien, et elle m'a envoyé balader. Elle était très affectée, bien sûr. Pas de doute. Désolé, mais la pièce va bientôt commencer. Je dois y aller.

Salter se leva. Molly Pride ressurgit des coulisses.

— Saluez Julie de ma part, lança-t-elle à Salter. Et remerciez-la pour ses bons mots à mon sujet.

Salter quitta le théâtre et se mit en quête d'une cabine téléphonique: lorsqu'il en trouva une, il appela l'hôtel Chelsea. À six heures et demie, Julie était sans doute dans sa chambre.

— Moi aussi, je suis libre pour souper, dit-il tout de go, sans même prendre le temps de dire bonjour.

— Désolée, mais je dois travailler, répondit-elle trop vite.

— Tu as une réunion? À quelle heure?

— Non, non. J'ai du retard à rattraper dans ma paperasse. Nous avons eu des tonnes de réunions et maintenant, je suis débordée. Où es-tu?

— Je suis au théâtre de l'Estragon. Je viens de parler à Molly Pride.

— À quel sujet?

— J'enquête sur un meurtre, je te rappelle.

— Et qu'est-ce que Molly avait à te dire?

— Elle m'a été très utile, c'est tout ce que je peux révéler.

— Vraiment? Tant mieux. Bon. Il faut que je me remette au travail.

— Tu vas bien avoir faim, à un moment donné, non?

— Je vais me contenter de manger un morceau ici. Molly se souvenait-elle de toi?

— Non. Qu'entends-tu par « ici »?

— Dans le coin.

— Rejoins-moi dans le hall de l'hôtel à sept heures.

— Je me contenterai d'un sandwich.

— Dans ce cas, ce rendez-vous ne me ruinera pas.

◆

Salter prit Julie au mot: ils empruntèrent donc Yonge Street en direction de l'endroit où il avait soupé la veille, le Pickel Barrel, restaurant dont le menu est conçu le midi pour les employés de bureau et, le soir, pour les touristes. Là, personne ne pourrait les accuser d'avoir un rendez-vous secret: ils seraient juste deux vieux amis fêtant ensemble le heureux hasard qui les a réunis.

Lorsque la bière de Salter et son verre de vin à elle arrivèrent, Julie entama la conversation.

— Eh bien, comment vas-tu?

Elle jeta un regard circulaire dans la salle pour montrer à ceux qui les regarderaient ainsi qu'à Salter combien elle trouvait amusant qu'ils soient ainsi tombés l'un sur l'autre, puis continua:

— Qu'est-ce que Molly t'a raconté ? Ah non, c'est vrai : je t'ai posé la question au téléphone. Parle-moi de ta famille.

— Je t'en ai déjà parlé. Parle-moi de la tienne, plutôt.

— J'ai trois filles, répondit-elle en illustrant sa réponse du nombre de doigts correspondant. Et un petit-fils.

— Et tu ne travailles pas. Par contre, tu fais du bénévolat.

— Eh oui, je ne suis que la femme vieux jeu d'un doyen tout ce qu'il y a de plus traditionnel.

Des expressions contradictoires se succédaient sur son visage tandis qu'elle cherchait le moyen de se mettre à l'aise.

— Tu as une photo de lui ?

— Pas sur moi.

— Dans ta chambre, peut-être ?

Comme elle ne répondait pas, Salter devina que sa question l'avait fait paniquer.

Julie choisit d'éluder :

— Pourquoi ton premier mariage n'a-t-il pas résisté ?

— Nous étions incompatibles.

— Complètement ?

— Non, pas complètement. Au lit, ça allait.

Elle rougit légèrement. Refuser d'être offensée avait toujours fait partie de son jeu : elle était certes fille de pasteur, mais désirait être traitée comme tout le monde et elle ne savait pas vraiment déterminer ce qui était inconvenant.

— N'était-ce pas suffisant ? répondit-elle.

Elle se mit à rire puis s'empara d'un menu, histoire de montrer que la réponse lui importait peu. Leurs relations n'avaient pas progressé d'un pouce en trente ans.

— Au début, oui, mais pas par la suite.

— Est-ce que je la connaissais ? Était-ce ta petite amie chimiste ?

— Non. Ma première femme avait étudié les beaux-arts. Quant à ma deuxième femme, elle travaille dans la publicité. Elle est originaire de l'Île-du-Prince-Édouard, où elle se trouve présentement. Elle est allée s'occuper de son père, qui a fait une attaque.

— Et tu es resté à Toronto, fidèle au poste.

— C'est ça, confirma-t-il avant de siroter une gorgée de bière. Allez, on se lance. Raconte-moi ta vie. Je veux tout savoir. Après, je te raconterai la mienne.

— Entendu. Arrête-moi quand tu commenceras à trouver ça ennuyeux.

Tandis qu'elle parlait, Salter comprit que rien n'avait changé, ni elle ni leurs relations. Ses rides, son œil légèrement injecté de sang – ce qui avait l'air permanent –, les fils d'argent qui parsemaient sa chevelure, tous les signes qui trahissaient son âge étaient sans importance. Ce qui comptait, c'était ce qui avait subsisté : sa timidité, le fait qu'elle ne savait pas quel comportement adopter pour éviter de se compromettre tout en faisant clairement comprendre que si elle choisissait d'éviter de se compromettre aujourd'hui, il pourrait cependant en aller bien différemment demain. Elle n'avait toutefois jamais franchi le pas. Julie et Salter avaient été sexuellement attirés l'un vers l'autre dès le début, mais au Victoria College, à la fin années cinquante, l'attirance physique n'était pas un obstacle à la virginité. L'innocence régnait en maître – Salter se rappelait qu'une certaine Pussy, surnom qu'à l'époque personne n'associait systématiquement à l'anatomie féminine ou aux relations sexuelles, s'était présentée à la présidence du bureau des étudiants – et tout le monde en racontait plus qu'il n'en faisait.

En fait, ce qui les séparait réellement, c'était le système des classes sociales. Salter provenait de la classe ouvrière et Julie, de la classe moyenne méthodiste. Chacun trouvait exotiques les origines de l'autre, à un point tel que le fossé était difficile à combler. Leur attirance réciproque se traduisait par une conversation invariablement lourde de sens qui n'avait jamais évolué vers des avances concrètes. Salter se disait qu'une telle situation était difficile à imaginer de nos jours. La distance entre les années cinquante et les années quatre-vingt était bien plus grande que celle qui séparait la génération de Salter de l'époque victorienne. Son fils aîné, qui était maintenant à l'université, ne pouvait même pas imaginer les difficultés qu'avaient connues ses parents, étant donné qu'il n'en rencontrait lui-même apparemment aucune. Et pourtant, Julie et lui avaient vécu dans une forme d'intimité, différente de celle qu'il partageait maintenant avec Annie, et qui avait survécu car elle était toujours alimentée par la même curiosité – étincelle que la concrétisation de leur désir aurait éteinte. Et c'était précisément la raison pour laquelle les épouses se méfiaient des vieilles camarades de collège : leurs maris avaient partagé avec ces dernières des moments inédits qu'elles ne vivraient jamais avec eux.

Julie acheva son récit et, d'un geste, invita Salter à prendre le relais. Il entreprit donc de lui raconter sa vie en long et en large, mais soudain, il s'interrompit :

— Tu ne m'écoutes pas, lui fit-il remarquer.

— Je te regarde : tu n'as pas changé d'un iota.

— Tu me l'as déjà dit, répliqua-t-il avant de jeter un coup d'œil à l'horloge murale. Allez viens, on va marcher un peu.

Elle consulta sa montre et feignit la surprise :

— Raccompagne-moi plutôt à mon hôtel.

Lorsqu'ils furent arrivés dans le hall de l'hôtel, elle eut l'air mal à l'aise :

— Il y a quelques membres de mon comité au bar, expliqua-t-elle en leur adressant un signe de la main. À la prochaine, lança-t-elle avant de se tourner en direction des ascenseurs.

— Tu sais, ce ne serait pas indécent que tu m'embrasses. Tout le monde se fait la bise, maintenant, et je ne crois pas que nous l'ayons déjà fait.

— Oh, arrête avec ça : bien sûr qu'on s'est déjà fait la bise.

Elle le planta là et ils revinrent trente ans en arrière, parce qu'elle ne savait toujours pas comment éviter d'envoyer les mauvais signaux – ou les bons, selon le point de vue choisi. Avant qu'elle ne pût s'éloigner, Salter la serra dans ses bras – geste qu'il n'avait pas osé en 1958 et qui, pour lui comme pour elle probablement, était encore rare et chargé de signification.

— Quel est ton numéro de chambre ? demanda-t-il en desserrant son étreinte.

Il espérait que le contexte était suffisamment équivoque pour qu'elle ne sût pas s'il plaisantait ou non.

— Je t'ai dit d'arrêter ça, répéta-t-elle avant de s'enfuir vers l'ascenseur.

◆

Lorsqu'il rentra chez lui, Salter ne trouva aucun signe de la présence de Seth ni aucun message. Il se sentait légèrement infidèle ; il appela Annie.

— Tu sembles joyeux, nota-t-elle.

— Insouciant, plutôt, corrigea-t-il. Je me fous de tout : c'est le printemps, ici ! Et là-bas, c'est comment ?

— Il pleut, évidemment. Comment ça, insouciant ? As-tu arrêté le meurtrier de cet acteur, là ?

— Non, et il va sans doute courir encore longtemps. Je m'en fous. Je ne te l'ai pas dit ? C'est le printemps…

— Tu as bu ou quoi ?

— Oui, de l'eau pétillante. Ça doit être à cause des bulles. Comment ça va, de ton côté ?

— Je t'en parlerai demain.

Salter comprit le message : la mère d'Annie était dans les parages.

— Comment avance la pièce de Seth ? Quand vas-tu le voir jouer ?

— Tu crois qu'il veut que j'aille le voir ?

— Bien sûr qu'il le veut ! Doux Jésus ! Parle un peu avec lui, d'accord ? Il ne s'agit pas d'une simple représentation de fin d'année, c'est toute sa vie.

— Je vais l'attendre. Rappelle-moi quand tu pourras.

Dès que Seth fut de retour, Salter se montra affable et fixa la date à laquelle il irait voir la pièce. Mais après avoir pris tant de précautions, il commit un faux pas :

— J'enquête sur le meurtre d'un acteur, annonça-t-il.

— Je sais, papa. Alec Hunter. Il jouait dans *After Paris*.

— C'est une bonne pièce, tu sais. Tu devrais aller la voir.

Seth, qui montait dans sa chambre, ne prit même pas la peine d'interrompre son ascension :

— Je l'ai déjà vue. J'y suis allé avec grand-père il y a deux mois. Tu étais débordé, si je me rappelle bien.

CHAPITRE 8

Le lendemain matin, le temps était toujours aussi magnifique ; Salter ne se sentait pas davantage concerné par la mort de Hunter. Un acteur avait commis l'erreur de s'endetter auprès de la Mafia, et c'était tout. À un moment donné, peut-être dans dix ans, un mafieux quelconque leur donnerait le nom du meurtrier en échange d'une réduction de peine. En tout cas, c'était ce que Salter s'acharnait à vouloir croire de manière à pouvoir transmettre le dossier aux Homicides, qui se chargeraient de la tâche fastidieuse d'explorer toutes les autres possibilités. Sans l'affaire Hunter, il aurait été à la pêche. Cela dit, certains détails le chicotaient, notamment le fait que, comme l'avait fait remarquer Taber, la Mafia ne tuait généralement pas pour mille dollars. Mais il y avait certainement une autre raison. En attendant, Salter allait faire ce qui devait l'être.

Au bureau, il fut accueilli par le journaliste à l'origine des problèmes qui avaient d'abord enflammé la communauté italienne avant de rendre soupçonneuses toutes les autres communautés. Salter avait le temps et la place nécessaires pour éviter le journaliste, mais il décida de voir ce qu'il voulait.

Ce qu'il voulait, c'était savoir si l'enquête progressait, bien sûr. Il voulait connaître les derniers développements, s'il y en avait, et, dans le cas contraire, savoir ce que foutait la police. Salter envisagea un instant de lui répondre : « Nous suivons de nombreuses pistes », après quoi il songea à une réponse plus conforme à son humeur, puis enfin à une autre qui était susceptible de provoquer une réaction intéressante, comme s'il jetait une allumette dans une boîte de feux d'artifice. Stimulé par cette image, il adopta un ton légèrement hostile avant de déclarer :

— Nous n'avons rien du tout. Et je ne pense pas que nous aurons du nouveau tant que la communauté, en particulier la communauté italienne, ne comprendra pas qu'elle couvre une bande de tueurs vicieux. Quelque part, quelqu'un sait qui est le meurtrier ou connaît une autre personne qui, elle, le sait. Mais personne ne vient nous le dire. Nous ne pouvons pas faire grand-chose si les citoyens ne coopèrent pas.

Huey, le journaliste, prenait frénétiquement des notes.

— Vous pensez que c'est l'œuvre du crime organisé ?

— Je pense que c'est la Mafia.

— Comment pouvez-vous en être sûr ?

— J'ai dit que je le pensais. Je n'en suis pas sûr : je le devine simplement, pour la même raison que celle qui vous a poussé à publier votre premier article. Le mode opératoire – le garrot – est le même que celui de la Mafia, la chambre avait été réservée par un homme à l'accent italien, et il est question d'une dette de jeu.

— La communauté italienne s'est plainte d'être victime de diffamation. Selon les Italiens, le réceptionniste a tiré des conclusions hâtives et il n'y a aucune raison de supposer que le tueur était des leurs.

La seule origine ethnique qu'on peut mentionner de nos jours, c'est celle des Vietnamiens, parce qu'ils ne sont pas organisés comme les autres communautés, songea Salter. Et il fallait aussi tenir compte du genre pour ne pas froisser les féministes. Salter s'attendait un jour à lire une manchette du style : « La personne de main d'un chef de gang est retrouvée morte dans une ruelle ».

— Moi, je pense qu'il y a toutes les raisons de le supposer, au contraire. Je crois que c'était un tueur de la Mafia et, d'après les renseignements que nous détenons, la Mafia est essentiellement italienne. (Huey leva brusquement la tête.) Nous recherchons donc un homme d'environ six pieds qui a une dent en or et s'exprime avec l'accent italien. Et, évidemment, je compte sur la coopération de la communauté italienne, dont la grande majorité des membres est respectueuse de la loi.

Huey griffonna un moment sur son bloc-notes puis regarda de nouveau Salter :

— Êtes-vous conscient du nombre de conseillers municipaux et de députés fédéraux et provinciaux qui sont d'origine italienne, monsieur l'inspecteur d'état-major ?

— Ils sont à peu près aussi nombreux que dans la police, je dirais. Maintenant, allez écrire votre papier sur ma partialité.

Lorsque Huey quitta les lieux, il avait l'air aussi excité que songeur.

Salter envisagea ensuite d'appeler Julie pour lui proposer de déjeuner avec lui ; il composa même le numéro de l'hôtel avant de raccrocher promptement et de décider d'appeler plutôt Annie.

— Tu es sûr que tout va bien ? demanda-t-elle aussitôt.

— Je voulais juste savoir comment ça se passait sur l'Île.

— Depuis hier soir ? Voyons… Nous sommes allées nous coucher, et puis ce matin, nous nous sommes levées. Je ne vois rien d'autre à te raconter. Que se passe-t-il?

— Rien. Tu me manques. Les lilas sont toujours là, sur l'Île?

— Pourquoi penses-tu à cela?

— Je ne sais pas. À cause du printemps. Tu te rappelles l'hôtel où nous avons séjourné en Angleterre? Celui où il y avait un chien?

— Le Plough, à Warloch. Pourquoi?

— Pour rien. J'y pensais, comme ça, c'est tout.

— Je reviens dès que je peux.

— Quand avons-nous coupé les lilas?

— Je t'en rapporterai de chez mes parents. Ils sont encore en fleurs, ici. Bon, il faut que je raccroche. Rappelle-moi quand tu auras vu la pièce de Seth.

Salter reposa le combiné et considéra les options qui s'offraient. Dès que Peterman entra dans son bureau, il décida de ce qu'ils devaient faire.

— Nous allons au théâtre, annonça-t-il.

— Avec votre femme? Je croyais qu'elle était partie.

— Non. Nous. Vous et moi.

— Au théâtre? Nous deux? Quand ça?

— Ce soir.

— Quel genre de pièce?

— Celle dans laquelle jouait Hunter. J'ai parlé au seul ami qu'il avait dans la troupe et à l'une des actrices. Maintenant, je crois que nous devrions faire connaissance avec les autres.

— Alors comme ça, il faut qu'on y aille ensemble, hein?

— Vous ne travaillez pas en binôme, d'habitude?

— Pour interroger les suspects seulement. Pas quand on ne fait que…

— … que perdre son temps, hein? Ça nous permettra de les voir une bonne fois, et peut-être qu'il y aura parmi tous ces gens une personne qui pourra nous apprendre quelque chose sur la vie privée de Hunter.

— C'était un joueur qui s'est mis dans la merde jusqu'au cou, et voilà. Je pourrais peut-être vous retrouver après la représentation ?

— Vous avez quelque chose de plus important à faire ?

— Oui et non.

Salter éprouva le besoin de rappeler à Peterman qui était le chef.

— Je passe vous prendre ici à sept heures trente.

— Il faut que je prévienne ma femme.

Puisqu'il avait toute la journée devant lui, Salter se remit à sa déclaration de principe. Mais bientôt, trouvant un prétexte dans le fait qu'il travaillerait ce soir-là, il mit son texte de côté, quitta le bureau, alla jouer une partie de squash puis rentra chez lui pour tondre la pelouse, au cas où Annie rentrerait à l'improviste.

◆

— Ce n'est même pas un vrai théâtre, protesta Peterman quand ils s'approchèrent de l'entrée. C'est tout juste un hangar. Il va sans doute falloir qu'on s'asseye par terre, nom de Dieu ! Espérons qu'au moins ils ont répété un texte et qu'ils ne vont pas nous servir une maudite improvisation !

Le premier acte de la pièce, intitulée *After Paris*, se passait au Manitoba, à White Plains, dans la salle à manger des Palmer. Le deuxième acte se passait le lendemain au même endroit.

— C'est une pièce canadienne, constata Peterman, accablé. Et ça se passe dans une ferme du Manitoba.

C'est sûrement sur la Dépression. On va sûrement voir un vieux con tripoter la terre avec ses mains en nous expliquant combien de vieilles souches ces mêmes mains ont tirées du sol. On va aussi voir un banquier coiffé d'un chapeau noir. Sans oublier Môman, qui va nous raconter comment elle a enterré son premier-né dans ce champ, juste là, sous ce rosier. Ah oui ! Il y aura aussi trois gamins qui répéteront sans cesse : « Lâche pas, Pôpa », un vieux chien qui va mourir, et un gars qui va jouer du ruine-babines en coulisses.

— Vous l'avez déjà vue ?

— On en voyait des tonnes comme ça à Radio-Canada, il y a vingt ans, avant qu'on ait tous le câble. Ils la diffusent peut-être encore.

— Celle qu'on va voir ?

— Celle que j'ai décrite. Je doute que ça ait changé beaucoup.

— Celle-ci se passe de nos jours.

Le visage de Peterman s'éclaira :

— Ça ne parle pas de la Dépression, alors ? (Il réfléchit brièvement.) Ce sera sur l'inceste, dans ce cas.

— Je me trompe ou vous n'allez jamais au théâtre ?

— Je n'y ai pas remis les pieds depuis les années soixante-dix, mais je lis le *Toronto Star*. Le théâtre canadien contemporain ne parle que d'inceste.

Ils achetèrent leurs billets afin de ne pas susciter trop d'intérêt en coulisses avant d'y être prêts puis passèrent derrière un rideau pour se retrouver dans ce qui était autrefois une fabrique de cornichons. Dans la salle ne se trouvait aucun fauteuil : un banc courait le long des murs et plusieurs rangées de bancs sem-blables avaient été fixées à l'aide de boulons sur le plancher en pente. L'ensemble évoquait une petite tente de cirque ambulant. La scène – ou ce qui en tenait lieu – se trouvait à un bout de la pièce, dont elle n'était pas séparée. Salter et Peterman prirent place au fond, sur l'un des bancs, qui était trop loin du mur et trop près du sol pour le confort de Salter, mais qui semblait convenir parfaitement au corps trapu et aux jambes courtes de Peterman.

Les lumières s'éteignirent. Un vieil homme portant des bretelles vint sur le devant de la scène, se pencha et commença à tâter la terre. Peterman jeta un regard morne à Salter.

— Le ruine-babines se fait attendre, fit remarquer ce dernier.

— On va d'abord entendre le sifflement d'un train.

— Chut ! leur ordonna une fille assise juste devant eux.

Par la suite, il s'avéra que Peterman avait été mal informé, pour le plus grand plaisir des spectateurs. Le titre de la pièce évoquait la chanson populaire éponyme et soulignait le thème principal, qui portait sur les difficultés vécues par un Torontois qui retournait voir sa famille à l'occasion du mariage de sa sœur avec un de ses vieux camarades de classe. Au cours du premier acte était exposé le contexte sentimental des souvenirs que le protagoniste avait des autres personnages, au fil de plusieurs scènes drôles et nostalgiques où on le voyait avec sa sœur, son frère, sa belle-sœur (une ancienne petite amie qu'il avait refilée à son frère) et ses parents, ainsi qu'une vieille grand-mère. Les répliques avaient un petit quelque chose d'étrange ; Salter se rendit compte que le texte était teinté d'un soupçon de parodie et contenait une once de moquerie qui annihilait le sentimentalisme apparent et laissait supposer que les souvenirs, les valeurs et même le genre de pièce qui semblait les véhiculer étaient artificiels. À la fin de l'acte, on voyait tous les personnages se rendre à l'église au son de *Bringing in the Sheaves* jouée sur un minuscule orgue – tableau outré qui semblait mettre les spectateurs au défi de le prendre au pied de la lettre.

Le deuxième acte était une reprise du premier : les souvenirs étaient les mêmes mais cette fois-ci, après une certaine quantité de boisson, c'étaient les autres personnages qui se souvenaient. Ce que le protagoniste avait considéré comme une scène de pelotage au premier acte était maintenant vu comme une scène de viol par la fille. Les vieilles rancunes refaisaient surface, on réglait ses comptes et les spectateurs repartaient avec une vision complètement différente des relations du protagoniste avec sa famille. L'une des révélations, dont le personnage principal prenait conscience grâce à son frère, était le fait que sa mère, personnage tutélaire qui, au premier acte, était le ciment de la famille, était en réalité tout juste capable d'être considérée comme la méchante qui les avait tous privés d'espace où grandir. Ainsi, l'acte deux était l'occasion de réexaminer les valeurs énoncées dans l'acte un et, en prenant le contre-pied de tous les clichés, révélait que ce dernier devait être compris comme une critique du style de pièce que Peterman redoutait de voir, précisément. À la fin, le père partait, déterminé, maintenant que ses responsabilités à l'égard de sa famille avaient pris fin, à vivre ses dernières années d'une manière irresponsable. La chute était décevante, comme si le dramaturge, ayant découvert une vérité, ne savait pas quel effet elle produirait sur ses personnages. Mais dans l'ensemble, Salter trouva la pièce amusante, émouvante et totalement captivante.

Au début de l'acte un, dès que le protagoniste était apparu sur scène une valise à la main et qu'il avait crié : « Il y a quelqu'un ? », Peterman avait fermé les yeux et il avait dormi jusqu'à l'entracte.

— Je trouve ça gênant de voir tous ces gens censés vivre dans une salle à manger crier pour se faire entendre à cinq mètres, avoua-t-il à ce moment-là. On dirait qu'ils…

— … qu'ils jouent la comédie ?

— Ouais, c'est ça.

Au début de l'acte deux, il resta éveillé pendant dix inconfortables minutes jusqu'à ce que le héros, seul sur scène, se lançât dans un monologue – puis il se retourna et ferma les yeux de nouveau.

Tandis que la pièce s'achevait, Salter se glissa vers le foyer où il trouva Turgeon, le régisseur, à qui il expliqua que Peterman et lui souhaitaient s'entretenir avec tous les membres de la troupe pendant quelques minutes.

Les entrevues eurent lieu sur la scène.

Salter plaça deux fauteuils et une chaise berçante autour d'une table basse ; Peterman s'installa dans la berçante, posa ses pieds sur le barreau inférieur et se balança d'avant en arrière quelques fois comme s'il procédait à des essais, puis sortit son bloc-notes. Salter demanda à tous les acteurs d'attendre au fond de la salle et d'approcher quand il les appellerait individuellement. Ce fut l'acteur qui tenait le rôle principal qui ouvrit le bal.

— Quel est votre nom, monsieur ? demanda Peterman.

— Keith Walker. C'est sur le programme.

Walker, qui portait encore son costume de scène, était un grand et bel homme. Ses cheveux blonds étaient soigneusement et élégamment coupés de manière à correspondre à son personnage, un négociateur d'obligations au sommet de la gloire.

— Belle pièce, Keith, commença Peterman. Vous étiez très bon.

— Merci.

— Quel rôle jouait Hunter?

— Le mien.

— Dans ce cas, nous avons eu de la chance, en un sens. Nous n'avons pas perdu au change.

— Vous étiez sa doublure, c'est bien ça? intervint Salter.

— Je m'étais préparé pour le rôle, oui, quand on s'est rendu compte que la représentation devait continuer après la fin de son contrat. Quand il jouait ce rôle, je jouais celui du frère.

— Alors, le frère qu'on a vu est nouveau dans la distribution?

— Même chose pour lui: il jouait le rôle du beau-frère et se préparait pour le personnage que j'avais à l'époque.

Peterman consulta le programme:

— Et alors… qui a repris le rôle de Matera?

— Perry Adler, l'auteur et metteur en scène.

Peterman se balança en avant et posa les pieds par terre.

— Excusez-moi, il faut que je prenne tout ça en note.

Il ouvrit son bloc-notes sur ses genoux et prit le programme dans la main gauche. Il traça trois colonnes qu'il intitula respectivement « Nom de l'acteur », «Ancien rôle » et «Nouveau rôle».

— Bien. Vous… comment vous vous appelez, déjà… Ah oui: Keith Walker… vous étiez le frère et maintenant, vous êtes le personnage principal. Matera était le beau-frère et maintenant, il joue le rôle du frère. Quant à Adler, qui est l'auteur, il est maintenant le beau-frère. Et les femmes? Elles ont gardé leur rôle?

— Oui.

— Et le père, ça a toujours été Manny Perlmutter ?

— Oui.

— Et Bill Turgeon, c'est le régisseur.

— Oui, oui.

— Qui y a-t-il d'autre ?

— Personne.

— Et le personnel auxiliaire ?

— Si vous parlez des membres de la compagnie, c'est un étudiant de Ryerson qui s'occupe de l'éclairage. Il y a aussi une maquilleuse et tous les autres – guichetiers, ouvreuses, *et cetera* – sont aussi des étudiants.

— Attendent-ils tous au fond de la salle ? s'informa Salter avec un geste en direction du groupe. Dites-leur que nous n'avons pas besoin d'eux à ce stade. Demandez aux étudiants de venir nous donner leur nom, après quoi ils pourront partir.

Walker se leva et transmit le message à l'autre bout de la salle obscure d'une voix tonitruante. Trois jeunes filles s'approchèrent de la scène : Peterman nota leur nom pendant que Salter continuait de bavarder avec Walker.

— Ça a dû être difficile quand la vedette a quitté le spectacle après seulement trois mois, fit observer le policier.

— Pas du tout. Franchement, le spectacle est bien meilleur, parce que la troupe est plus heureuse. Nous sommes beaucoup plus soudés.

— Vous vous en êtes très bien tiré avec ce rôle important, poursuivit Salter, qui s'était inspiré de Peterman pour cette réplique, car il avait constaté que la plupart des gens de ce milieu étaient sensibles à la flatterie.

— C'était difficile de travailler sur deux rôles en même temps en essayant de ne pas me laisser influencer par le jeu de Hunter. Cela dit, il nous faut encore procéder à quelques ajustements : nous devons porter un peu John et Perry, qui en est tout à fait conscient.

— En tout cas, j'ai adoré la pièce. Votre personnage, surtout.

Peterman leva les yeux de son carnet :

— Génial, renchérit-il.

— Tout est dans le texte : il suffit de l'en extraire. Alec s'est vraiment approprié le personnage, mais j'arrive à imprimer ma marque, à explorer des pistes qu'il n'avait pas suivies. Il avait une grâce que je n'atteins pas encore, cependant : il faut que je retravaille le rythme, surtout dans le premier acte.

— Vous avez vraiment dû travailler comme un dingue, l'encouragea Peterman.

— C'est le métier qui veut ça.

— Tout le monde adhère-t-il au projet ? demanda Salter.

— À mon avis, nous avons tous compris que ce serait difficile, surtout parce que nous nous lancions dans une nouvelle pièce presque sans répéter. Mais de toute façon, le travail ne court pas les rues, et ça fait du bien de jouer dans une pièce qui marche. On parle même de l'adapter pour la télévision.

— La télévision ? s'exclama Peterman, impressionné. Ce serait génial. Bonne chance ! Vous le méritez bien. Je vous ai trouvé vraiment super.

— Merci. Certains passages ne vous ont pas paru trop barbants ?

— Pas quand vous étiez sur scène, Keith. Mais le passage qui m'a vraiment touché, c'est l'ouverture du deuxième acte, quand vous êtes seul et que vous déclamez ce long monologue. C'était fantastique !

Peterman secouait la tête d'un air émerveillé.

— Connaissiez-vous bien Hunter ? enchaîna promptement Salter.

— Assez bien. Je ne crois pas que nous ayons déjà joué ensemble par le passé, mais il connaissait mon travail.

— C'était quel genre d'homme? s'enquit Peterman. Vous l'aimiez bien?

— Il n'est mort que depuis quelques jours, esquiva Walker.

— Oui, mais nous avons besoin de tout savoir sur lui.

— J'imagine, en effet. Eh bien non, nous n'étions pas amis.

— Êtes-vous meilleur acteur qu'il ne l'était?

Walker jeta un regard offensé à Salter, qui se contenta de sourire.

— Pourquoi diable auriez-vous besoin de savoir ça? En réalité, et je dis ça pour vous éviter de revenir me poser la question, je crois vraiment – et je l'ai toujours cru – que je suis meilleur que lui, oui.

— Et maintenant, vous avez l'occasion de le prouver, dit Peterman.

— Le sergent Peterman essaie de nous faire gagner du temps, expliqua Salter. La manière dont Hunter est mort laisse supposer l'existence de zones d'ombre dans sa vie, et c'est ce que nous voulons creuser.

— Je ne l'aimais pas, mais nous n'étions pas ennemis, précisa Walker, qui ajouta avec un geste en direction du fond de la salle : Tout le monde vous le dira.

— Où étiez-vous quand il a été tué? demanda Peterman.

— Quoi?

Peterman se tourna vers Salter.

— Où étiez-vous quand Hunter a été tué? répéta ce dernier. C'est une question de routine, vous savez. Dans une pièce policière, vous auriez posé vous-même cette question.

— Je regardais la télévision, répondit Walker, qui ajouta à l'intention de Peterman : *All Creatures Great and Small* puis *Mystery* et après ça, dodo. Vous voulez que je vous raconte les deux épisodes ?

— Pas nécessaire, merci. Je regarde moi aussi la chaîne 17 tous les dimanches soir. Vous étiez seul ?

— Oui, j'étais seul.

— Vous avez une femme ou une copine ? demanda Peterman en lui adressant un clin d'œil.

— Je suis séparé depuis peu. Je vis seul en ce moment.

— Parlez-nous de Hunter, intervint Salter. Vous êtes le premier à qui nous nous adressons. Quel genre de personne était-ce ?

— Je sais les deux trucs que tout le monde connaît : il aimait beaucoup les femmes et il était joueur. C'est bien pour ça qu'il a été tué, non ?

— Nous ignorons pourquoi il a été tué. Alors comme ça, c'était un coureur de jupons ?

— Demandez à n'importe quelle femme, aux ouvreuses. Excusez-moi un moment…

Il posa les mains à la base de son crâne et ôta sa magnifique perruque ; le geste révéla un crâne presque chauve parsemé de touffes noires.

— Seigneur ! s'écria Peterman. Quel est votre prochain tour ?

— Désolé, mais ça tient chaud et ça pique, ce truc-là, expliqua Walker en se frottant la tête.

Même si ses cheveux étaient rasés, la tonsure qui rendait la perruque indispensable – au moins sur scène – était nettement visible.

— Quand je me laisse pousser les cheveux, je n'en ai pas assez pour justifier l'usage d'un peigne… se justifia Walker.

— Connaissez-vous les ennemis de Hunter ? poursuivit Salter.

— Tous ceux avec lesquels il a travaillé. Personne en particulier.

— Connaissiez-vous sa petite amie ?

— Nous la connaissions tous. Elle assistait à chaque représentation et le ramenait à la maison en laisse après.

Les deux policiers attendirent que Walker élaborât – ce qui ne manqua pas.

— Elle le couvait littéralement. Elle était jalouse et veillait sur lui comme sur un investissement fructueux. Elle était folle de lui et d'après ce que je sais, c'est elle qui faisait vivre le couple. Elle ne supportait pas qu'une autre femme s'approche de lui.

— Vous ne l'aimez pas, commenta Peterman.

— Non.

Ils attendirent une fois encore la suite, qui ne demandait qu'à sortir.

— C'était elle qui se chargeait de la publicité de la pièce. Elle avait offert de le faire gratuitement. Ça tombait bien, parce qu'on n'avait pas de budget pour ça, de toute façon. On n'aurait pu se payer que deux ou trois petites annonces et quelques affiches. Elle est bonne, il faut le préciser. Il ne se passait quasiment pas une journée sans qu'on parle d'Alec dans les journaux ou à la télévision. Cela dit, on n'y parlait d'aucun autre membre de la troupe.

Du coin de l'œil, Salter constata que Peterman commençait à perdre tout intérêt pour la conversation – le sergent était en fait à deux doigts de s'endormir.

— Parfait, merci beaucoup, monsieur Walker. Où pourrons-nous vous trouver si nous avons de nouveau besoin de vous ?

Walker donna ses coordonnées à Peterman et se leva.

— Qui voulez-vous que je vous envoie ? demanda-t-il avant de partir.

— L'auteur, monsieur Adler.

— Je suppose que vous ne voulez pas que je parle aux autres.

— De quoi ? s'enquit Peterman.

— Des questions que vous m'avez posées.

— Oh ! Eh bien, non, bien sûr. Cela tombe sous le sens, vous ne croyez pas ?

— À mon avis, sa dernière réplique confirme son alibi, fit remarquer Peterman après le départ de Walker. On entend sans cesse ce type de truc à la chaîne 17.

Salter rit de bon cœur.

— Oui, mais maintenant, avec les magnétoscopes, ce genre d'alibi ne marche plus, rétorqua-t-il. Laissez-le sur la liste des suspects jusqu'à ce qu'on trouve un meilleur candidat.

Âgé d'une cinquantaine d'années, Perry Adler, l'auteur et metteur en scène, était un peu trop vieux pour son rôle et il était maladroit sur scène. Mais dans la mesure où il n'avait que sept ou huit répliques à donner, sa piètre performance ne risquait pas de nuire à la pièce. Il répétait fidèlement son rôle et parlait d'une façon un peu trop affectée, mais à part ça, il n'interférait pas avec l'action. Il n'avait pas grand-chose à ajouter à ce que Walker avait appris aux deux policiers.

— Je ne connais de Hunter rien d'autre que ce qu'il était en tant qu'acteur, déclara-t-il.

— On nous a dit qu'il était bon dans son métier.

— Oui, c'est vrai. Il nous a beaucoup aidés au début et lorsqu'il a quitté la pièce, nous étions capables de nous débrouiller sans lui. Je dois admettre qu'il était meilleur sur scène que Walker, confia-t-il en jetant un coup d'œil par-dessus son épaule, mais la pièce est assez forte pour porter l'acteur.

— Combien de temps allez-vous la joue, encore ?

— Il nous reste trois semaines, après quoi nous partons à Chicago. Nous y avons été choisis par le théâtre Apollo.

— C'est une bonne salle ?

— J'en suis très heureux.

— Auriez-vous préféré y aller avec Hunter ?

— Son contrat était arrivé à terme, et j'en étais content. Il était plutôt encombrant.

— Comment ça ?

— Son agent et son ego prenaient beaucoup de place.

— Vous saviez que le film dans lequel il devait tourner était tombé à l'eau ? Finalement, il était redevenu disponible.

— Et j'imagine que Connie Spurling l'avait fait savoir à Chicago, où on le voulait sûrement, lui. La situation allait devenir critique. Mais nous n'avions pas besoin de lui.

— Allez-vous emmener le reste de la distribution ?

— Je pars avec Walker, Matera et Penny Wicklow. Les autres ne sont pas libres.

— Penny Wicklow ? demanda Peterman. La grand-mère ?

— C'est ça.

— Si les gens de Chicago avaient su que Hunter était libre, auraient-ils insisté pour l'avoir ? s'informa Salter.

— Lorsqu'ils ont vu la pièce pour la première fois, il y jouait, mais ils n'avaient pas l'air d'être sûrs que sa présence était indispensable. Je les ai fait revenir pour voir la nouvelle distribution avant que Hunter ne soit de nouveau disponible, et ça leur a suffisamment plu pour qu'ils signent les contrats. Quand ils ont su qu'il était libre, ils ont voulu opérer des changements, mais j'ai insisté pour qu'ils s'en tiennent à notre entente initiale. En fait, je m'apprêtais à leur dire que s'ils voulaient Hunter, ils n'auraient pas la pièce, ce qui aurait été plutôt risqué de ma part parce que c'est la première fois qu'une occasion pareille se présente à moi.

— C'était donc si pénible de travailler avec lui ?

— Il n'y avait pas que ça. Spurling et Hunter commençaient à se comporter comme si la pièce était une sorte de brouillon qu'ils s'étaient mis en tête d'améliorer. Je suis presque certain qu'elle a payé quelqu'un pour étudier le rôle de Hunter et voir où il pourrait être étoffé. Ils avaient toujours des tonnes de suggestions : au début, j'en ai accepté quelques-unes, mais je suis maintenant revenu à ma version originale. En plus de ça, dès le début, elle s'est demandé s'il était indiqué que je dirige une pièce que j'avais écrite. Autrement dit, si elle avait réussi à faire revenir Hunter dans la distribution, elle aurait pris le premier avion pour Chicago afin d'expliquer à la direction du théâtre Apollo que la pièce avait besoin d'aménagements et qu'il fallait un nouveau metteur en scène pour que Hunter puisse donner la pleine mesure de son potentiel.

— Ce ne sont que des suppositions, tout ça, non ?

— Vous pensez peut-être que je suis paranoïaque, mais je ne suis pas le seul à l'être, dans ce cas. Connie Spurling est totalement dénuée de scrupules.

— D'accord, mais jusque-là, vous aviez ce que vous souhaitiez. Sans Hunter.

— Absolument. Et cette absence est synonyme d'une troupe heureuse.

John Matera était la dernière recrue de la troupe. Il s'assit sans daigner poser les yeux sur les policiers ; il semblait peu impressionné par les circonstances et indifférent à ses interlocuteurs.

— Vous étiez génial, lança Peterman pour briser la glace.

Matera leur jeta un coup d'œil.

— Ah ouais ? On m'a embauché pour jouer les faire-valoir. Cette pièce n'est qu'une agréable petite parenthèse pour moi.

Il tourna les yeux vers la salle et fit un signe de la main.

Il émanait de sa personne une sorte de simplicité, un manque de curiosité qui indiquait une totale absorption en lui-même – ce qui était probablement la raison pour laquelle il correspondait au rôle du beau-frère. Les spectateurs comprenaient d'emblée que ce n'était pas un acteur comique et que ce n'était pas le genre à être mêlé à un quelconque face-à-face sur l'avant-scène. Au pire, il pouvait se voir confier le soin de recoller les morceaux en prenant dans ses bras sa femme en pleurs après une dispute familiale. Quoi qu'il en soit, il faisait figure honorable dans son nouveau rôle du frère du protagoniste qui avait grandi dans l'ombre de celui-ci.

— Connaissiez-vous bien Hunter ? l'interrogea Salter.

— Je ne crois pas lui avoir adressé la parole plus de deux fois. J'en ai beaucoup entendu parler quand j'étais à Brighton l'année dernière, au théâtre d'été, mais ce que j'ai entendu n'a pas vraiment retenu mon attention. Quant à lui, il gardait ses distances. Beaucoup de rumeurs circulaient à son sujet – à propos des femmes et du jeu, principalement –, et elles sont probablement déjà parvenues jusqu'à vos oreilles. Il faisait des avances à tout ce qui était à sa portée.

— Même à la grand-mère ? demanda Peterman, amusé.

Matera fixa le sergent jusqu'à ce que le sourire de ce dernier s'effaçât.

— Elle s'appelle Penny Wicklow. Et oui, elle aussi. Juste une fois.

— Seigneur!

Mis à part ce détail croustillant, tout le monde rapportait les mêmes potins au sujet de Hunter.

— On n'a pas perdu notre journée, plaisanta Salter dès que Matera eut tourné les talons.

— On devrait avoir une petite conversation avec Grand-mère, suggéra Peterman.

— Pourquoi?

— Je veux voir à quoi elle ressemble de près.

La curiosité de Peterman ne fut pas déçue: sous le maquillage de «Grand-mère» se cachait une séduisante quadragénaire grande et pourvue de petits seins, qui avait le charisme d'une instructrice d'aérobie. Fidèle à lui-même, Peterman la félicita pour son interprétation convaincante d'une octogénaire.

— C'est ma spécialité, expliqua-t-elle. Jouer Hedda Gabler ne menait à rien: il y a chez moi quelque chose qui fait rire. Et comme il y avait pénurie de vieilles femmes, je les ai étudiées.

Son corps s'affaissa légèrement, une bosse apparut entre ses deux omoplates et ses yeux se lancèrent dans une série de va-et-vient entre les deux hommes. Elle incarnait l'Aînée, la petite vieille discrète et sagace, prête à émettre la remarque perspicace, comique, acerbe ou grivoise – ce qu'autorisait son grand âge –, voire, dans les reprises de la pièce, le commentaire plein de sagesse qui précède le lever du rideau.

— En outre, ça me permet de paraître moins grande, ajouta-t-elle.

— C'est renversant! s'exclama Peterman. Laquelle a allumé Hunter, Grand-mère ou vous?

Penny Wicklow éclata de rire :

— Les deux, à mon avis.

— A-t-il essayé pour de bon ou vous a-t-il fait des avances juste par réflexe ? Votre apparence avait-elle de l'importance ?

Salter voulait lui aussi savoir si le comportement de Hunter avait suffi à provoquer le ressentiment de Penny Wicklow, mais il lui aurait fallu quelques questions de plus pour arriver là où se trouvait maintenant Peterman.

— On ne vous a pas raconté les détails ? dit l'actrice. OK, je vais tout vous dire. Il n'a essayé qu'une fois. Tout ce que les gens ont entendu, c'est ce que j'ai répondu à Hunter d'une voix chevrotante : « Mon garçon, cela fait trente ans que je n'ai écarté les cuisses pour personne, alors ôte tes sales pattes de mon cul et laisse-moi continuer mon travail. » Ça l'a stoppé net, parce qu'il se doutait que Connie Spurling était dans les parages. Elle n'était jamais loin. Je voulais qu'il sache que je ne me laisserais pas faire s'il retentait sa chance, et je voulais aussi mettre en garde ces jeunes ouvreuses qui auraient pu se laisser impressionner par lui.

— Vous aviez déjà travaillé avec lui par le passé ? demanda Salter.

— Je l'ai rencontré à Brighton l'été dernier.

— Dans ce cas, vous saviez à quoi vous en tenir.

— Oh, bien sûr ! Mais il y avait un petit moment qu'il se tenait tranquille. En fait, il se contrôlait quand Connie Spurling était dans le coin.

Salter se leva et se dirigea vers le bord de l'estrade.

— Qui le connaît mieux que vous ? s'enquit Peterman.

— Bill Turgeon. Il était avec lui à Brighton l'été dernier, comme machiniste ou je ne sais quoi. Je crois que c'est Hunter qui lui a permis d'obtenir ce boulot de régisseur.

— Eh bien, ça ira comme ça, dit Salter. Vous seriez gentille de demander aux autres de laisser leurs coordonnées avant de partir.

— Nous devrions parler à ce Turgeon, suggéra Peterman quand Penny Wicklow eut pris congé.

— J'ai déjà eu une conversation avec lui. Il n'a pas été d'un grand secours. Nous reviendrons si nécessaire. Demain, je vais procéder à quelques vérifications supplémentaires auprès de l'inspecteur Corelli. On ne sait jamais : il a peut-être du nouveau.

— Et après ?

— Et après, je ne sais pas. Je vais peut-être prendre un congé et vous laisser vous occuper de cette affaire. Que faites-vous, vous autres, quand vous êtes sûrs que la Mafia est dans le coup ?

— On repasse le bébé à l'unité du crime organisé et on laisse la GRC et la police provinciale collaborer.

— Et après ?

— Et après, on passe à autre chose.

— Ça me paraît une bonne idée.

CHAPITRE 9

— Je vais devoir rester encore un peu pour les aider à s'organiser, Charlie.

Annie avait appelé Salter de l'Île-du-Prince-Édouard : elle venait de lui annoncer que son père avait été transféré définitivement dans une maison de soins infirmiers et qu'il y avait peu de chances qu'il se remette suffisamment pour pouvoir rentrer chez lui un jour. Elle voulait maintenant aider sa mère à déterminer ce qu'elle souhaitait pour elle-même.

— Quelles sont les options ? Qu'en pensent tes frères ?

Les deux frères d'Annie vivaient sur l'Île : ils exploitaient chacun une partie des affaires familiales, notamment un hôtel de villégiature, deux stations-service et une société immobilière. Salter poursuivit :

— Je viens juste de lire dans le journal un article dans lequel il était expliqué que les hommes devraient apprendre à s'occuper davantage de leur entourage, parce que la plupart des aînés étant des femmes, les hommes âgés sont entourés de femmes, entre les vieilles des maisons de retraite et les jeunes qui prennent soin d'eux. Mais ce dont ils auraient besoin, c'est d'être entourés d'hommes. Bref, ton père a besoin que ce soient ses fils qui veillent sur lui, pas toi.

— Le problème, c'est Mère. Elle ne voudra jamais que Père et elle soient une charge pour les garçons. Elle refusera d'emménager chez l'un ou l'autre, même s'ils l'en supplient – ce qu'ils ne feront pas, évidemment. D'après elle, elle ne serait pas à l'aise. Elle a sûrement raison, parce que ses belles-filles ne la laisseraient pas prendre le dessus.

— Et elle ne peut pas rester chez elle ? C'est ton père qui a eu une attaque, pas elle.

— Non, je ne crois pas qu'elle pourrait rester seule. Avant que Père ait son attaque, c'est lui qui cuisinait le plus souvent, parce qu'avec son arthrite, elle a du mal à s'affairer dans une cuisine. En plus, elle n'a jamais beaucoup aimé popoter.

— Mais elle joue encore au golf ! Alors, quelle est la solution ? Une maison de retraite ? Y en a-t-il une bonne sur l'Île ?

— Il y en a quelques-unes, mais quand j'ai commencé à évoquer cette possibilité, Mère s'est mise à pleurer.

— Alors c'est quoi, la solution ?

Annie ne répondit pas.

— Ici, chez nous ? Pourquoi serait-ce mieux ici que chez ses fils ?

— Parce que je suis sa fille. Elle ne se sentirait pas de trop chez moi.

— Mais chez moi, oui.

— Ne m'engueule pas, Charlie. C'est assez dur comme ça pour moi. De toute façon, ce n'est pas à cela qu'elle pensait.

— Ouf ! À quoi, alors ?

— Mieux vaut que je t'en parle, de toute façon. Elle ne veut pas s'éloigner de ses petits-enfants qui vivent sur l'Île, et elle ne veut pas être un fardeau pour ses fils, parce qu'ils ont déjà leur lot de problèmes avec leurs familles et leurs affaires.

— Et ?…

Annie inspira profondément.

— Cet après-midi, elle se disait encore que ce serait merveilleux que mes frères te trouvent une belle situation dans les affaires familiales, que tu prennes ta retraite anticipée et qu'on déménage pour aller habiter là-bas, où elle pourrait nous aider à nous installer.

Cela faisait longtemps que la mère d'Annie y pensait. Et maintenant que son mari n'était plus là pour y mettre un frein, elle ne pouvait plus s'empêcher de révéler combien elle désapprouvait que son gendre fût un simple policier alors que ses propres fils étaient des hommes d'affaires prospères, et qui plus est un simple policier, qui avait toujours refusé mordicus une place dans les affaires de la famille pour continuer à pourchasser des voleurs et des assassins afin de gagner sa vie.

— Je vois. Il ne faut surtout pas déranger ses fils chéris, mais moi, je suis censé sauter sur cette occasion de devenir un vrai membre de la famille et d'acquérir enfin la respectabilité.

— Ne m'engueule pas, Charlie, répéta Annie. J'essaie juste de te tenir au courant de ce qu'il faut que je gère.

— Qu'as-tu répondu à ta mère ?

— Rien. J'essaie de lui faire comprendre clairement que ça ne vaut pas la peine d'envisager cette idée. Tu sais comment elle est. Je ne veux pas me disputer avec elle, mais la seule réponse est non. Et si je commence à énumérer des raisons de refuser, elle va les passer en revue une à une et je serai obligée de me défendre. En fait, elle n'a pas vraiment suggéré cette idée, et je refuse de saisir ses allusions.

— Et tes frères ? Sont-ils d'accord avec elle ?

— Ils me laissent le soin de régler ça avec Mère.

— C'est très décent de leur part. Ils préfèrent ne pas prendre parti, hein ? Parce qu'ils savent foutrement bien que c'est une option raisonnable, c'est ça ? Eh bien, voici ce que tu vas faire : dis-leur que j'ai découvert que j'étais allergique aux patates et que mes sinus ne supportent pas que je m'approche à moins de deux kilomètres d'un champ de pommes de terre. Oh, et puis merde ! Ne peux-tu pas tout simplement embaucher une aide à domicile pour elle ?

— Elle n'aime pas l'idée d'avoir une personne étrangère dans sa maison.

— Moi non plus.

— Je te rappellerai demain. Et vous, comment ça va ?

— On se débrouille bien. La pièce de Seth commence demain. C'est vraiment un chouette garçon : il s'inquiète que je reste seul s'il sort le soir. Et tu lui manques.

— Dis-lui qu'il me manque aussi. Idem pour toi.

— Ne les laisse pas tout te mettre sur les épaules, Annie.

— Non, je ne les laisserai pas faire. Je me contente de te raconter ce qui se passe ici, alors permets-moi de parler sans m'engueuler.

◆

Le lendemain matin, Salter fut convoqué chez le chef adjoint. L'inspecteur Corelli était déjà dans le bureau de Mackenzie.

Ce dernier attendit que Salter s'assît, puis prolongea encore un peu le silence afin de ménager ses effets dramatiques. À la fin, il s'empara du journal qui se trouvait sur son bureau et l'agita devant lui.

— Vous avez vu ça ?

Salter hocha la tête. Le « ça » désignait un article publié en première page dans lequel il était dit que la police concentrait de nouveau ses recherches sur la communauté italienne. L'article était entrelardé de citations de Salter qui laissaient entendre que la population savait qui était le meurtrier et qu'elle le cachait. À la fin de l'article se trouvait un renvoi vers un éditorial, dont l'auteur déplorait le racisme de Salter, détaillait l'apport des Italiens à la société et, en conclusion, insinuait que les origines ethniques de Salter étaient trop répandues dans la police de Toronto et que la commission de police devrait se pencher sur les politiques de recrutement, qui ne reflétaient pas la réalité multiculturelle de la ville.

— J'aurais pensé que ce serait plus costaud que ça, commenta Salter.

Mackenzie reposa le journal sur son bureau et s'adossa à son fauteuil.

— Nom de Dieu, qu'est-ce que vous mijotez ?

— Y a-t-il déjà eu des réactions ?

— Vous voulez dire à part le coup de fil du chef à six heures et demie ce matin ainsi que ceux des autres journaux de la ville ?

Salter haussa les épaules et resta silencieux. Il avait deviné les motifs de la présence de Corelli. Le chef adjoint adressa un signe de tête à ce dernier.

— J'ai reçu un appel émanant d'une source fiable, annonça l'inspecteur.

— La Mafia a mis un contrat sur la tête du meurtrier de Hunter, compléta Mackenzie.

Corelli eut l'air peiné et légèrement irrité de s'être fait voler sa réplique.

— Ce n'est pas exactement ça, corrigea-t-il.

— Ah non ? Ce n'est pas ça, un contrat ?

— Ça pourrait en devenir un, mais il leur faudrait un nom à mettre dessus. Tout ce que la Mafia a fait pour le moment, c'est de proposer une récompense à quiconque pourrait leur fournir des renseignements.

— Vous entendez ça ? rugit Mackenzie à l'intention de Salter. Vous entendez ? Maintenant, ils offrent des récompenses, nom de Dieu ! Vous feriez mieux de trouver ce type avant eux, Salter, ou on aura vraiment l'air d'une bande de cons. Ils ont un véritable système judiciaire parallèle au nôtre, à la différence près qu'eux, ils appliquent toujours la peine de mort.

— Combien, la récompense ?

— Cinquante mille, d'après ce qu'on m'a dit, répondit Corelli.

— Cette affaire a commencé avec mille petits dollars, commenta Salter, impressionné. Que disent vos sources ?

— Que ce n'est pas la Mafia qui a tué Hunter et elles veulent être sûres qu'on le comprend bien.

— Donc, officiellement, ce n'est pas la Mafia, mais il se pourrait toujours que ce soit l'un de ses collecteurs un peu zélé.

Corelli réfléchit à cette éventualité, puis secoua la tête :

— Ça revient au même. À mon avis, la Mafia n'est impliquée ni dans un cas ni dans l'autre. Aucun de ses membres ne correspond à la description du réceptionniste. Ces gens-là sont perturbés : c'est mauvais pour leurs affaires si des civils comme Hunter se font tuer en leur nom. Au moment des élections, les politiciens finiront par refuser leur contribution.

— On dirait bien qu'ils n'ont rien à voir là-dedans, Salter, dit Mackenzie d'une voix lourde de reproches.

— Je pense en effet qu'on peut les oublier, reconnut Salter. On va devoir chercher ailleurs.

— Étiez-vous conscient des réactions que vous obtiendriez ? que j'obtiendrais, moi ?

— Oui, bien sûr, mais je ne voyais aucun moyen plus rapide de découvrir ce qu'on voulait savoir afin de réduire notre champ d'investigation.

— Et qu'avez-vous découvert ?

— Que la Mafia n'a rien à voir dans cette affaire. J'en suis maintenant certain. Nous pourrions publier un communiqué disant que nous avons maintenant la conviction que ce meurtre n'est pas lié au crime organisé.

— Nous ne ferons rien de ce genre, nom de Dieu ! Vous imaginez les manchettes ? « La Mafia demande aux flics de s'écraser », par exemple.

Maintenant qu'il comprenait le but de la manœuvre de Salter, le chef adjoint s'installa confortablement dans son fauteuil.

— Je comprends que vous avez découvert quelque chose, mais Dieu sait que vous ne vous êtes pas rendu service, Salter. Les gens ont bonne mémoire pour ce genre de choses.

Et vous faites partie de ces gens, répliqua mentalement Salter. *Autant dire que je ne suis pas près d'être chef adjoint…*

— Quelles autres solutions avez-vous envisagées ? demanda Mackenzie qui, avant que Salter eût le temps de répondre, ajouta à l'intention de Corelli : Merci, Sam.

Corelli quitta la pièce, et Salter alla fermer la porte derrière lui.

— Si ce n'est pas la Mafia, dit-il, c'est donc un bookmaker indépendant. Cela étant, le message est négatif de ce côté-là aussi.

Il résuma la teneur de sa rencontre avec Taber.

— Il semble donc que je doive chercher un bookmaker que Taber ne connaît pas ou alors, c'est peut-être une affaire personnelle.

— Et les gens du théâtre ? Tueraient-ils réellement pour un rôle ? lança Mackenzie en souriant d'un air entendu, pour montrer qu'il connaissait cette répartie fréquente dans le milieu.

— C'est une possibilité, mais je n'y crois guère.

Salter rendit alors compte des entrevues qu'il avait eues avec certains membres de la troupe.

— Personne n'aimait Hunter, mais personne ne nous a semblé agité ou anxieux.

— Eh bien, remettez-vous au travail. Jusqu'à présent, nous avons eu droit à deux éditoriaux : bientôt, on nous réservera deux colonnes sur les affaires non résolues. Vous n'avez aucune idée ?

— J'en ai bien une, mais il faut que je l'affine. Tous les témoignages convergent : Hunter était un joueur compulsif. Ceux qui l'ont côtoyé dans la pièce de l'été dernier ne l'ont remarqué que vers la fin de la saison. Je vais donc aller interroger les gens de Brighton. Il y avait là-bas un genre de théâtre d'été, comme à Niagara-on-the-Lake. En fait, tous les renseignements que je récolte ne concernent que Toronto, mais peut-être que Hunter allait honorer une vieille dette qu'il aurait pu contracter auprès d'un bookmaker de l'extérieur. Je vais donc essayer de découvrir auprès de qui on peut placer des paris là-bas.

— Vous travaillez toujours avec Peterman ?

— Il a quelques autres affaires en cours, mais je peux compter sur lui quand j'en ai besoin. Bon. Je ferais mieux de m'y remettre.

— Vous avez déjà parlé à Horvarth ? s'enquit le chef adjoint au moment où Salter atteignait la porte.

— Oui, hier.

— Et ?…

— Il est tout à fait prêt à subir une enquête officielle. J'ai essayé de l'effrayer un peu : rien à faire.

— Avez-vous réussi à obtenir quoi que ce soit ?

— Je crois qu'il veut en découdre. Ces photos sont plutôt éloquentes, mais elles ne le perturbent pas autant que je l'aurais cru. Il veut juste savoir qui les a prises.

— Lui avez-vous dit ?

— Non, et quand j'ai refusé de le lui révéler, il s'est refermé comme une huître. D'après moi, il pense que s'il se retrouve dans votre bureau seul à seul avec vous, vous allez régler cette affaire de manière à ce qu'il n'en pâtisse pas trop, par exemple en lui demandant de démissionner et en brûlant les photos, mais il ne saura jamais qui l'a piégé. (En parlant, Salter prit conscience qu'il était sur la bonne voie.) Il veut voir ces gars-là bien en face.

— Pense-t-il que c'est l'un de ses propres gars ? Lindstrom, par exemple ?

— Je crois que c'est en effet exactement ce qu'il pense.

— Revenez vous asseoir, Salter. Que dois-je faire ?

— La GRC serait-elle d'accord pour une rencontre informelle ?

— À mon avis, ils seraient sacrément méfiants : ils penseraient qu'on veut étouffer l'affaire. J'arrive dans une minute ! hurla-t-il à l'intention de quelqu'un qui venait d'entrouvrir sa porte.

— Horvarth a le droit d'être informé des preuves, non ? dit Salter du ton le plus neutre possible.

— D'un point de vue légal, sans doute. Je vais demander à nos juristes. Mais c'est ce que je m'efforce d'éviter.

— Si Horvarth a la garantie que le type qui a pris ces clichés sera présent, il viendra. Vous pourriez peut-être mettre une enquête sur pied et tout arrêter dès qu'il devient évident que vous seriez obligé de la rendre publique. Je suis à court d'inspiration : je n'ai jamais été chef adjoint.

Mackenzie se leva et se dirigea vers la porte, ouvrit cette dernière puis la referma.

— Il ne s'agit pas que des photos. Le gars en question est prêt à témoigner qu'il a vu Horvarth prendre de l'argent à quelqu'un d'autre une autre fois, à Green-wood, en avril.

— Seigneur! Dans ce cas, si les preuves sont si solides, ça n'a aucune importance que Horvarth les connaisse, non? Il aura le droit d'en avoir connaissance avant d'être traduit en justice publiquement.

— Dites-lui tout, déclara soudain Mackenzie en regardant par la fenêtre. Faites-le.

— Je lui parle de la GRC?

— Non. Dites-lui qu'on a la preuve qu'il a déjà encaissé des pots-de-vin par le passé. (Il revint vers son bureau et prit un document dans un dossier.) C'était le douze avril à Greenwood. Peut-être que lorsqu'il entendra ça, il voudra bien me parler. Entre-temps, je vais rediscuter avec les gars de la GRC.

◆

Avant de quitter le quartier général de la police, Salter passa une demi-heure avec Peterman.

— Mafia ou pas, ça reste une histoire de jeu, dé-créta ce dernier. Trop de gens nous ont déclaré que Hunter était un joueur compulsif et Connie Spurling nous a même avoué qu'elle lui avait donné l'argent nécessaire pour rembourser sa dette.

— J'essaie de réduire le nombre de pistes liées au jeu. Vous suggérez autre chose?

— Il faudrait découvrir tout ce qu'on peut sur Hunter.

— Je pourrai peut-être recueillir quelque chose à Brighton. Quoi d'autre?

— Les femmes.

— Si c'est une histoire de femme, pourquoi aurait-il apporté mille dollars ?

— Bon Dieu ! Comment le saurais-je ? J'essaie juste de vous donner du grain à moudre. C'est peut-être lié à Chicago. Peut-être que le gars du théâtre de Chicago a traité sous le manteau avec Hunter et Spurling, et que ces deux-là lui ont offert mille dollars s'il prenait Hunter dans la distribution. Il vient rencontrer Hunter au motel, le tue et garde l'argent. Connie Spurling le sait, mais elle se tait parce qu'elle connaît le nom du gars – c'est elle qui a tout arrangé – et comme c'est une affaire louche, elle serait finie en tant qu'agente si ça venait à se savoir. En passant, le gars de Chicago a une dent en or. Comment vous trouvez mon scénario ?

— Génial. Mais vous devriez attendre le dernier chapitre avant de révéler la chute. Je reviendrai vous voir dès mon retour de Niagara.

◆

Le délire de Peterman sur la filière de Chicago rappela à Salter qu'il serait judicieux d'avoir une autre petite conversation avec la pleureuse qui s'était fait virer par Connie Spurling.

Il la trouva chez elle, dans un appartement qu'elle partageait avec deux autres filles sur Howland Avenue.

— Je passais dans le coin et j'ai pensé venir voir si vous aviez des problèmes à la suite de votre congédiement, se justifia Salter.

— Pas vraiment. Elle m'a dit qu'elle ne me paierait pas les deux dernières semaines, mais ça m'est égal, du moment qu'elle me laisse tranquille.

— Vous avez un autre boulot en vue ?

— Je me suis fait virer hier seulement : je n'ai pas encore vraiment cherché un travail.

— Puis-je entrer une minute ?

— Bien sûr, répondit-elle en ouvrant grand la porte. Dois-je vous faire un café ?

— Non, non. Je me disais simplement que vous pourriez peut-être m'apprendre quelque chose sur Hunter.

— Je ne veux pas avoir quoi que ce soit à voir avec elle.

— Elle n'en saura rien.

Salter s'installa sur une chaise à dossier droit tandis qu'elle se perchait sur l'accoudoir d'un sofa placé en vis-à-vis.

— J'imagine que vous avez lu les journaux, commença-t-il. Tout le monde pense que Hunter a été tué à cause d'une affaire de jeu.

— On parle de la Mafia, en effet.

— Nous n'en sommes pas sûrs. Avez-vous déjà remarqué une personne suspecte, du genre qu'on ne s'attendrait pas à voir rôder autour d'un théâtre ?

— Un bandit, vous voulez dire ?

— C'est ça, un bandit.

Un qui parlerait avec l'accent italien, qui ferait environ un mètre quatre-vingt et aurait une dent en or.

Elle fit un signe de dénégation.

— Non, je n'ai vu personne de ce genre.

— Quand le directeur du théâtre de Chicago a-t-il appelé pour la dernière fois ?

— Chicago ? Ah oui ! La semaine dernière. Madame Spurling l'appelait trois fois par jour. Une fois, monsieur Hunter et elle se sont disputés à ce sujet.

— À quel sujet, exactement ?

— Ce truc de Chicago. Je ne sais pas exactement, mais elle a appelé le monsieur de Chicago, juste avant la fin de semaine. En fait, elle s'est disputée avec lui aussi. Elle était très agressive.

— Vous souvenez-vous des détails ?

— Je me rappelle qu'elle lui a dit d'arrêter de se conduire en poule mouillée. Ce sont ses mots exacts.

C'était le genre de phrase qui pouvait s'insérer dans n'importe quel scénario. Totalement inutile. Salter se sentit légèrement stupide en posant la question suivante :

— Avez-vous déjà rencontré l'homme de Chicago ?

— Juste une fois. Ça l'a rendue furieuse, ça aussi. J'ignorais qui il était, alors je lui ai demandé son nom ainsi que la raison de sa visite. Je ne savais pas qu'il avait un rendez-vous. Elle est arrivée et m'a entendue : elle l'a quasiment empoigné pour le traîner dans son bureau. Après coup, elle m'a reproché de ne pas avoir consulté son carnet de rendez-vous à elle. Et selon elle, je n'avais pas à lui poser des questions dans un bureau où l'on aurait pu nous entendre. Mais comment aurais-je pu deviner qui c'était ? Son nom ne figurait pas dans mon agenda ; pour moi, c'était juste une voix au téléphone.

— Pouvez-vous me le décrire ?

— Il était plutôt petit et trapu. Chauve. Assez vieux, environ cinquante ans.

— Après que monsieur Hunter a quitté *After Paris*, est-ce que quelqu'un ayant un lien quelconque avec la pièce est venu voir madame Spurling ?

— Monsieur Adler est venu une fois, mais elle m'a dit de lui faire savoir qu'elle était absente. Le régisseur, aussi. Il s'est présenté le lendemain de la mort de monsieur Hunter, mais elle ne l'a même pas laissé entrer dans son bureau. Elle m'a ordonné de lui répondre qu'elle ne recevait personne. Elle était parfois si abrupte ! Il pouvait la voir assise à son bureau pendant qu'elle me demandait de lui dire de partir.

◆

Salter s'arrêta ensuite sur Glencairn Avenue pour transmettre le message à Horvarth.

— Quand suis-je censé avoir commis ce premier délit ? demanda Horvarth.

— Le douze avril. À Greenwood.

— Vous pouvez m'attendre une minute ?

Horvarth monta l'escalier quatre à quatre et s'engouffra dans une pièce à l'étage. Lorsqu'il revint, une longue minute plus tard, il parlait en redescendant les marches.

— Bien. Qualifiez cette rencontre comme ça vous chante – officielle ou informelle, ça m'est égal –, mais je viendrai si le gars qui a pris les photos est là.

— Mackenzie ne peut pas vous garantir qu'il viendra.

— C'est la seule chose qui m'importe : s'il vient, je viens.

— Je le lui dirai. Nous sommes ici entre nous, Joe. Vous me comprenez ?

— Oui. Mackenzie a été informé de l'existence de preuves contre moi, à la suite de quoi il m'a mis en congé en m'ordonnant de ne parler à personne, et c'est ce que j'ai fait. Ne vous inquiétez pas pour ça. Les Affaires internes sont au courant ?

Les Affaires internes étaient l'unité qui devrait s'occuper de l'affaire si celle-ci allait plus loin.

— Pas à ma connaissance.

— Dans ce cas, si Mac peut amener le photographe, on pourra régler ça à sa manière.

CHAPITRE 10

Comme tous les Torontois, Salter n'allait jamais voir les chutes Niagara s'il pouvait l'éviter, à cause de toutes les fois où il ne pouvait pas y échapper. Les invités, notamment les visiteurs en provenance des États-Unis ou d'Europe, plaçaient en effet les chutes en tête de leur liste de sites à visiter dans les environs, et Salter y emmenait des hôtes au moins une fois par année. Mais tandis qu'il filait sur la route Queen Elizabeth, il se rendit compte que cela faisait bien deux ans qu'il ne l'avait pas empruntée seul et seulement pour le plaisir.

Les chutes Niagara sont plus impressionnantes au cinéma qu'en vrai, mais, pendant deux ou trois minutes, la légère déception due à leur taille relativement restreinte est contrebalancée par le plaisir de voir « en vrai » ce mythique panorama, après quoi le touriste peut aller marcher sous les chutes et, s'il n'en a pas encore eu assez, prendre le bateau pour aller se faire saucer par les embruns. Et c'est tout. Le site est géré par la Commission des parcs du Niagara, qui a réussi à préserver l'endroit de la vulgarité. Du côté canadien, la rive du fleuve n'est parsemée que de quelques édifices gouvernementaux où l'on vend souvenirs et repas.

Le développement commercial est hors de vue, en ville, et il est facile de l'éviter – ou de le trouver, selon les goûts du visiteur.

Salter conduisait généralement ses invités directement aux chutes, situées à une heure et demie de route de Toronto un jour de semaine, les guidait en haut et en bas des chutes de manière à ce qu'ils se fissent tremper un peu, puis les emmenait à Niagara-on-the-Lake, et ce, pour plusieurs raisons : d'abord, il n'y a qu'un restaurant – géré par le gouvernement – sur le site des chutes, et il est toujours plein. Ensuite, la route qui mène à Niagara-on-the-Lake traverse une forêt-parc et une zone d'exploitations fruitières où l'on peut acheter les meilleures pêches de la péninsule. Salter emmenait en outre au vignoble d'Inniskillin les visiteurs curieux de goûter au vin canadien ; ils découvraient ainsi avec surprise que le vin de glace qu'on y produit est le meilleur et le plus cher du monde. Enfin, il savait que ses hôtes étaient invariablement charmés par le cachet ancien préservé de Niagara-on-the-Lake, où ils s'émerveilleraient devant les vitrines pittoresques, les coiffes d'époque des vendeuses et les bonbons au marrube qu'on y vend un peu partout. Il était toujours agréable d'y passer une heure et, en outre, on y trouvait des restaurants pour tous les goûts – des bons, des moyens et des mauvais.

Salter avait quitté Horvarth à dix heures en pensant rallier directement Brighton, mais une heure et demie plus tard, il se retrouva stationné devant les chutes pour la première fois de l'année, tel un touriste dans son propre jardin. Il les admira pendant cinq minutes, le temps de se rassurer sur leur immuable présence, puis se dirigea vers Brighton.

Au poste de police de Brighton, le sergent de service attendait Salter depuis une heure.

— Il n'était pas neuf heures quand vous avez appelé, et vous avez dit que vous partiez immédiatement. Il est... (Le sergent consulta sa montre.)... onze heures. Cela fait presque une heure que vous auriez dû être là.

— Je suis allé jeter un coup d'œil aux chutes.

— Oh ! s'écria presque le sergent. Vraiment ? Je vois... Vous avez apporté votre appareil photo ?

C'est convaincant, se dit Salter. Il était impossible d'affirmer si le sergent approuvait cette initiative bucolique ou s'il se moquait très subtilement de cet inspecteur d'état-major de Toronto qui jouait les touristes de base. Pour le savoir, il lui aurait fallu voir l'expression du visage d'une tierce personne qui connût bien le sergent.

— Je voulais vérifier si elles étaient toujours là, se justifia Salter avec un petit air penaud.

— Mais bien sûr... Où sont passées mes bonnes manières ? s'excusa le sergent, qui se leva derrière son bureau pour serrer la main de Salter.

Salter fut cette fois certain que sa gestuelle était une parodie de zèle et d'excuses pour ne pas lui avoir serré la main tout de suite.

— Brock, se présenta-t-il. Jim Brock. Sergent Jim Brock, précisa-t-il. Et vous êtes l'inspecteur d'état-major...

— Charlie Salter, compléta celui-ci.

— Bien sûr. Et donc, maintenant que vous avez constaté que les chutes Niagara étaient toujours à la même place, on peut se mettre au travail. Ne perdons pas de temps : vous m'avez parlé d'un homicide. En quoi cela nous concerne-t-il ?

— L'homme qui a été tué était un acteur. Il jouait ici l'été dernier. Il semble qu'il se soit fait étrangler avec un garrot alors qu'il venait rembourser une dette de jeu.

Brock, qui s'était plaqué sur le visage une expression d'écoute attentive, sursauta légèrement avant de jeter un coup d'œil circulaire dans la pièce puis de regarder Salter d'un air offensé, telle une vieille fille qui toiserait l'auteur d'un bruit incongru.

— Nous n'avons strictement rien à voir là-dedans, si vous permettez. À Brighton, le garrottage n'est pas notre spécialité. Nous utilisons plutôt des morceaux de bois et des bouteilles.

— Nous ne trouvons aucun lien avec le milieu du jeu de Toronto, et comme il jouait pendant son séjour ici, je me demandais si par hasard il n'aurait pas laissé des dettes derrière lui.

— Combien ?

— Nous pensons qu'il avait mille dollars sur lui quand il a été tué.

— C'est beaucoup d'argent, ça. Enfin… pour nous, ici, à Brighton.

— Mais ce n'est pas suffisant pour intéresser la Mafia.

Une fois encore, Brock sursauta sous l'effet d'une fausse frayeur.

— Laissons ces messieurs en dehors de ça, voulez-vous ?

— Ne viennent-ils jamais dans le secteur ?

— Pas que je sache. J'ai entendu dire qu'ils passaient Niagara Falls quand ils allaient à Buffalo, mais ils ne viendraient pas traficoter dans une ville de la taille de la nôtre, Dieu merci !

— Avez-vous des bookmakers indépendants ?

— Encore une fois, pas que je sache. Ici, c'est un lieu de villégiature.

Salter ne s'était pas attendu à autre chose. Turgeon, le régisseur, était du même avis que Brock.

— Dans ce cas, si un acteur qui se trouve être joueur compulsif arrive chez vous, où irait-il jouer ?

— Il jouerait par téléphone avec des gars de Toronto. Il pourrait aussi aller à Fort Erie : c'est à une demi-heure de voiture, quand on ne s'arrête pas aux chutes.

Brock rugit de rire : il s'était mis dans la peau d'un comédien de campagne qui rit de ses propres blagues.

La porte s'ouvrit et un agent en uniforme passa la tête dans l'entrebâillement :

— Hé, sergent, vous savez à qui elle est, la Chevy bleue stationnée juste devant le poste ?

Brock sauta de son fauteuil, réellement alarmé, cette fois. Toute bouffonnerie avait disparu.

— Elle est à moi, et vous le savez foutrement bien ! Pourquoi ?

— Ray Hampton vient tout juste de l'emboutir, répondit l'agent, qui effaça aussitôt de son visage toute trace de l'amusement qu'il retirait dè la situation.

— Hampton ? rugit le sergent en contournant son bureau pour se diriger vers la porte. Il a embouti ma voiture ? Ma nouvelle voiture ? Encore ?!?

Salter, qui resta planté là, entendit Brock traverser le poste de police et s'éloigner.

— Ma voiture ? répétait le sergent, dont la voix s'évanouissait. Ma nouvelle voiture ?

La tête de l'agent réapparut :

— Désolé, monsieur. Elle revient tout juste du garage du concessionnaire. Hampton l'avait déjà emboutie la semaine dernière.

— Qui est Hampton ?

— C'est notre nouveau cadet. Le sergent est très fier de sa voiture, expliqua l'agent en souriant avant de disparaître.

Salter attendit quelques minutes ; Brock l'avait visiblement oublié. Après tout, il avait obtenu l'essentiel de ce qu'il était venu chercher, et il se doutait que si d'aventure Brock revenait dans son bureau, il n'aurait pas envie de parler d'autre chose que de son auto – aussi Salter se contenta-t-il d'écrire un petit mot pour le remercier de son accueil et de demander à l'agent comment se rendre au théâtre.

◆

Il existe deux importants festivals de théâtre dans le sud de l'Ontario : le festival Shakespeare de Stratford et le festival Shaw de Niagara-on-the-Lake. Le festival de Brighton vient en troisième position. Il avait été créé quelques années auparavant avec le soutien du conseil municipal afin d'attirer des touristes et de les inciter à rester passer la nuit dans les motels du coin. Le festival était organisé dans un ancien tribunal construit vers la fin du XIXe siècle, à une époque où l'on pensait que Brighton deviendrait une ville plus importante qu'elle ne l'était devenue. L'édifice avait été cédé à la ville par la province et loué à la compagnie de théâtre locale pour un dollar symbolique par année. Les King's Players, comme ils se faisaient appeler, s'étaient constitué un répertoire éclectique de comédies légères et de mélodrames des années trente qui faisait quasiment salle comble ; les spectateurs étaient souvent des amateurs qui avaient déjà vu la pièce plusieurs fois et qui trouvaient réconfortant de savoir qu'on jouait encore des œuvres théâtrales de belle facture.

Salter s'était annoncé, de sorte que le directeur du théâtre l'attendait dans son bureau. Salter lui expliqua le but de sa visite.

— J'ai entendu parler de cette affaire, dit le directeur. Pas très joli, tout ça.

— Cela vous a-t-il surpris ?

— Oui, évidemment. Nous en avons discuté, ici, entre nous : nous étions loin de nous douter qu'il avait autant de problèmes. On entend parler de trucs comme ça, bien sûr, mais on ne rencontre pas souvent des acteurs qui ont le démon du jeu. La plupart du temps, quand un acteur a des problèmes, il s'agit de sexe, de drogue ou de jalousie professionnelle. C'est un métier fort en émotions et parfois, on assiste à de féroces querelles intestines. Mais habituellement, la violence est seulement verbale. Se faire tuer pour une dette de jeu, c'est inédit.

— Qu'est-ce qui vous fait penser que c'était une dette de jeu ?

— Ce n'est pas le cas ? Nous avons entendu dire que la Mafia était de la partie, répliqua le directeur, sur la défensive. C'est ce que tout le monde prétend.

— Avez-vous remarqué des inconnus à l'air louche traînant autour du théâtre à la recherche de Hunter ?

— Eh bien, non… Mais il allait souvent au champ de courses.

— Ah oui ? fit Salter, intéressé. Est-ce lui qui vous l'a avoué ?

— Non, mais… En fait, oui, c'est lui. Dès qu'il avait un après-midi de libre, il allait aux courses dans le coin.

— À Fort Erie ?

— C'est là qu'il faut aller ? Quoi qu'il en soit, je me rappelle qu'il se vantait beaucoup quand il gagnait.

— Que pouvez-vous me dire d'autre sur lui ?

Le directeur était toujours un assez méfiant ; il était peu désireux que Salter transformât un petit potin en enquête majeure.

— C'était un bon acteur.

— Était-il homosexuel ?

— Bien sûr que non ! Seigneur ! C'est à ça que vous pensez en premier, vous autres ? En fait, il était tout le contraire : n'eût été son agente ou sa blonde ou que sais-je encore, il aurait baisé toutes les actrices de la distribution, sans compter les femmes de ménage.

— C'est vrai, ça ?

— Vous le savez certainement déjà. N'avez-vous pas interrogé la troupe dans laquelle il jouait dernièrement ?

— Ah, oui, bien sûr, répondit Salter, feignant l'indifférence. Mais en vous entendant le dire, ça m'a donné une idée.

— Je ne vous ai rien dit que vous ne sachiez déjà.

— En effet, mais je viens de comprendre quelque chose : il s'est sans doute fait beaucoup d'ennemis.

— C'est exact, mais je ne connais personne qui serait allé jusqu'à le tuer.

— Et sa blonde, cette… ?

— Connie Spurling. Vous lui avez parlé ?

— Une minute, pas plus. Elle l'avait à l'œil, non ?

Le directeur eut l'air sur ses gardes : si Salter allait à la pêche aux renseignements, il ne voulait pas être celui qui mordrait à l'appât.

— Plus ou moins, répondit-il prudemment.

— Écoutez, je dois découvrir les éventuels ennemis que Hunter aurait pu avoir et j'y arriverai, tôt ou tard. Mais si Connie Spurling le surveillait de si près, il y a peu de chance que je doive creuser du côté des acteurs qui étaient ici avec lui l'été dernier.

— Exact, confirma le directeur en hochant la tête frénétiquement. Franchement, la manière dont elle le tenait en laisse était vraiment risible. Elle venait de Toronto tous les soirs et l'attendait après la représentation. Elle passait la nuit avec lui et repartait le lendemain matin. La recette classique pour qui veut que son mari reste fidèle !

— Allait-elle aux courses avec lui ?

— Je ne crois pas, non. Pour ça, elle lui laissait la bride sur le cou. Il fallait bien qu'elle travaille, après tout. Hunter n'était pas son seul client.

— Trouviez-vous agaçant de la voir sans arrêt traîner dans le coin ?

— Oh que oui ! Je ne la détestais cependant pas, ajouta-t-il en guise d'avertissement.

— Donc, dans votre souvenir, elle faisait en sorte que Hunter se comporte bien quand elle était là.

Le directeur songea aux conséquences qu'aurait pour lui le fait d'admettre que c'était sa perception ; n'en voyant aucune de néfaste, il répondit :

— Oui, c'est l'impression que j'avais. Bien sûr, je n'étais pas avec lui tout le temps ; vous devrez interroger les autres, ajouta-t-il, au cas où.

— Qui ?

— Comment ça, qui ?

— Qui sont ces autres ? Les autres acteurs ?

Le directeur réfléchit un moment avant de se diriger vers un classeur dont il sortit quelques programmes de théâtre ainsi que de nombreuses photos.

— Voici la pièce dans laquelle il jouait, dit-il en tendant les programmes à Salter. Ces photos ont été prises pour la publicité.

Salter parcourut la liste des acteurs, y cherchant des noms familiers : il en trouva deux.

— Je suppose qu'ils sont tous éparpillés aux quatre coins du pays, maintenant.

Le directeur consulta les programmes.

— Hunter était la vedette. Je ne saurais pas vous dire où sont les autres, sauf elle, précisa-t-il en montrant du doigt le nom de la costumière.

— Et où est-elle ?

— Elle s'est suicidée l'été dernier.

— Y a-t-il une histoire derrière ça ?

— Bien sûr, mais je ne la connais pas. On l'a simplement retrouvée morte dans sa chambre, sans même un mot, rien. Elle avait avalé des barbituriques. C'est ce qu'on a su en premier : quelqu'un est tout de suite venu nous dire qu'elle avait fait une surdose de médicaments. Elle a été emmenée à l'hôpital, où son décès a été constaté.

Salter se promit d'approfondir ce point.

— Et à votre connaissance, personne d'autre n'était spécialement proche de Hunter ? Assez proche pour que ça vaille la peine que je traverse tout le pays ?

— Comme je vous l'ai dit, Connie Spurling ne laissait de place à personne d'autre.

Salter rassembla les programmes et les photos.

— Je vais garder tout ça quelque temps.

— Entendu, mais je veux les récupérer. Je commence à tenir des archives.

— C'est juste un prêt temporaire. Dressez-moi une liste, et je vous donnerai un reçu.

◆

Le sergent Brock n'était pas encore remis de ses émotions. Lorsque Salter entra dans son bureau, il lui fit un signe de tête, raccrocha le téléphone et ajouta un chiffre à une colonne puis calcula pendant que Salter attendait.

— J'en aurai pour huit cent cinquante environ, dit-il. Tout le train arrière, le coffre et une porte arrière. Sans compter la peinture. Ce maudit bâtard est rentré dedans deux fois ! Il l'a emboutie une première fois, a reculé, enclenché la première, décidé de reculer encore un peu en oubliant qu'il était en première et a enfoncé le côté de mon auto. Le garagiste m'a fait un prix spécial. Huit cent cinquante et quelques.

— Est-ce qu'il était au volant d'un véhicule de police ?

— Non, il avait emprunté le camion d'un copain.

— Son assurance couvrira les dégâts. La vôtre aussi.

Brock se leva, alla refermer la porte, se rassit en se penchant en avant pour regarder Salter bien dans les yeux et lui confia :

— Il n'était pas assuré.

— Oui, mais le camion l'est forcément. C'est obligé. On ne peut pas avoir une immatriculation sans assurance.

— Oui, on peut. Le camion en question est une sorte de voiturette de golf trafiquée qui n'a le droit de rouler que dans une ferme ou un vignoble. Son copain ne l'avait pas prévenu.

Brock semblait se délecter de dévoiler point par point l'étendue de son malheur.

— Qu'allez-vous faire ?

— J'ai deux solutions. Suivre la procédure normale et gâcher la vie de ce gamin et de son copain ou payer moi-même et lui demander de me rembourser à raison de cinq dollars par semaine. Ça ne fait que trois mois que j'ai cette voiture et il me l'a emboutie deux fois – en fait, trois, si on estime qu'aujourd'hui ça compte pour deux. Quand la poussière sera retombée, je lui fournirai une bicyclette. Il va falloir que je négocie encore avec le garage.

— Demandez-leur de vous installer une cornière métallique.

— Comment ça ?

— J'ai appris à conduire sur un chantier de construction, dans l'ouest du Canada. Le jour où j'ai obtenu mon permis, je suis rentré dans un mur avec un camion de l'entreprise. Le contremaître m'a engueulé pendant vingt minutes avant d'aller en ville pour faire réparer le camion. Le garage l'a fait gratuitement, mais une semaine plus tard, l'entreprise a reçu une facture pour cent cinquante mètres de cornière métallique.

On a inclus la facture dans les achats de matériaux de la semaine – c'était un contrat avec le gouvernement, avec remboursement des coûts –, et tout le monde était content parce qu'on a gagné de l'argent là-dessus, en plus.

— C'est comme ça qu'on travaille, à Toronto ?

— Non, non. Pour ce genre de combine, il faut travailler dans une toute petite entreprise pour que le moins de gens possible soient impliqués. C'était dans l'ouest, rappelez-vous.

Brock eut un léger sourire indiquant qu'il retrouvait sa sérénité. Par la fenêtre, il regarda le stationnement.

— Comment pourrais-je justifier l'achat de cornière métallique ? se demanda Brock, songeur, avant de se retourner vers Salter : Au fait, pourquoi êtes-vous revenu me voir ?

— Pour avoir des renseignements sur Mary Mikhail. Elle travaillait au théâtre l'été dernier. Elle s'est suicidée. Connaissez-vous son histoire ?

Brock appuya sur quelques touches de son clavier d'ordinateur et commença à lire ce qui apparut sur l'écran :

— Mary Mikhail. A été trouvée sans signes vitaux à deux heures trente le seize août. A été emmenée à l'hôpital, où l'on a tenté de la ranimer. A été déclarée morte à l'hôpital.

— Qui l'a trouvée ?

— Sonia Lewis et Penny Wicklow. Elles sont toutes les deux actrices.

— Et ensuite ?

— Selon le rapport, les deux femmes étaient allées lui rendre visite chez elle parce qu'elle ne s'était pas présentée pour effectuer un quelconque travail sur leurs costumes. Quand elles l'ont trouvée, elles ont appelé une ambulance et la police. Quand on est arrivés, la propriétaire avait pris les choses en main. Elle avait fait descendre les deux actrices dans le salon et montait la garde devant la porte de la chambre afin que personne n'entre.

— Le directeur du théâtre m'a dit qu'il s'agissait d'une surdose de barbituriques.

— C'est en effet ce que l'autopsie a révélé.

— Pas de mot ?

— On n'en a pas retrouvé. L'autre jour, j'ai lu dans le journal un article qui disait que quatre suicidés sur cinq ne laissaient pas de message.

— Combien de comprimés a-t-elle ingurgités ?

— D'après le rapport du légiste, au moins vingt.

— Était-elle enceinte ?

— Elle avait trente-neuf ans et, de toute façon, je ne pense pas que ce soit encore un motif de suicide de nos jours. D'après les témoignages de ses collègues, elle était maniaco-dépressive. L'une d'entre elles a déclaré qu'elle s'était rendu compte après coup que cela faisait quelque temps qu'elle n'allait pas bien. Il n'y avait aucune raison de pousser l'enquête plus loin.

Le regard de Brock se perdit de nouveau par la fenêtre ; l'esprit du sergent revenait vers sa principale préoccupation du moment.

— Non, je ne peux décemment pas acheter de cornière métallique, dit-il.

— Quel genre d'articles vend ce garage ?

— Du bois de chauffage, du charbon, de la glace, répondit Brock, qui ajouta soudain : Du gravier ! Son frère vend du gravier. Combien ça coûte, du gravier ? Ce stationnement mérite un peu d'entretien, je trouve…

Son regard croisa celui de Salter et il éclata de rire.

— Je plaisantais, assura-t-il.

Mais dès que Salter eut quitté le poste de police de Brighton, le sergent Brock s'empara de l'annuaire téléphonique.

CHAPITRE 11

Dans le vestibule se trouvaient un sac à dos et un grand sac de toile du genre de ceux que portent les joueurs de tennis professionnels, recouverts d'une parka aux poches pleines à craquer. Salter traversa la maison et trouva Seth en train de manger des céréales dans la cuisine.

— J'ai une répétition cet après-midi, expliqua Seth. Ça va m'occuper un bon moment. J'irai manger une pizza après. En passant, je suis à sec…

Salter lui donna vingt dollars.

— Où est-il ? demanda-t-il à son fils.

— Ils sont rentrés et ressortis.

— Ils ?

— Il était avec une fille.

— On la connaît ?

— Non, c'est une nouvelle. Ils sont sortis acheter de la bouffe. Elle a fouillé dans les armoires et dans le frigo, mais notre type d'alimentation ne lui convient pas.

— Et pourquoi ça, elle est Esquimaude ?

— Inuite, tu veux dire ? Non : elle est cuisinière ou, en tout cas, elle en a l'air. Ils sont cool, cela dit. Ils ne passent pas leur temps à s'embrasser.

La porte s'ouvrit et Angus, le fils aîné de Salter, entra. Il salua rapidement son père et lui présenta Linda. Cette dernière lui tendit la main ; il sentit les longs doigts s'enrouler un à un avec ferveur autour de sa paume tandis qu'elle tendait le cou pour qu'il pût lui voir le visage. Salter estima qu'elle avait à peu près l'âge d'Angus, vingt ou vingt et un ans. Elle portait un chandail de coton ouaté – pas de soutien-gorge – ainsi qu'un jean et des sandales qui laissaient voir ses jolis petits pieds. Elle avait le visage constellé d'acné, les cheveux châtains tout emmêlés et des dents grisâtres – dont la coloration était peut-être due à une maladie infantile –, mais dans l'ensemble, Salter comprenait qu'Angus la trouvât séduisante.

— Pourquoi ne mettrions-nous pas tout ça de côté en attendant que je prépare le souper ? proposa-t-elle.

Elle avait une voix douce, claire et très maniérée, montant et descendant d'un mot à l'autre comme si elle avait passé sa vie à parler à des enfants de trois ans.

— Entendu, dit Salter. Je vais nous servir l'apéritif. Qu'aimeriez-vous boire ?

— Une bière, répondit Angus.

— Du vin, s'il vous plaît. Il y en a une bouteille dans le frigo, indiqua Linda.

Bien que légèrement choqué de la façon dont cette femme – cette fille – prenait le contrôle de sa cuisine – la cuisine d'Annie, en fait – et finalement peu troublé par son style vocal, Salter devait tout de même reconnaître que Linda suscitait des pensées érotiques et qu'apparemment, elle savait cuisiner, ce qui représentait deux domaines dignes d'intérêt.

Seth finit ses céréales puis disparut. Salter servit les apéritifs et partit avec le sien dans le salon. Pendant une demi-heure, il regarda un épisode de *Carré de dames* en rediffusion puis il alla prendre une douche afin de ne pas avoir l'air d'attendre sa pitance, l'estomac gargouillant, après quoi on l'appela pour l'avertir que le souper était prêt.

Il redoutait que Linda ne fût végétarienne ou accro aux fibres et de fait, à première vue, le repas avait l'air macrobiotique. Sur la table se trouvaient une énorme salade de laitue rouge, des tranches de pain brun et de la margarine (au lieu du beurre), mais dès qu'il fut assis, Linda apporta du riz et une sorte de ragoût au curry dans lequel dominaient le poulet et les arachides. Salter se rendit rapidement compte que c'était de la bonne cuisine, et il était presque aussi impressionné par son expérience gustative que par le fait qu'Angus avait de toute évidence joué un rôle important sinon fondamental dans la préparation du souper.

Quant à la suite, il n'y était pas vraiment préparé. Après la crème glacée et le café, après même qu'il eut donné à Angus des nouvelles du grand-père de ce dernier et qu'Angus lui eut en retour fait savoir que sa première année en école de commerce se passait bien, Salter dit à son fils :

— Ta mère est partie précipitamment et je ne sais pas si ton lit est fait. Cela dit, tu sais où se trouvent les draps.

Tandis que Linda entreprenait de débarrasser la table, Angus annonça à brûle-pourpoint :

— Linda et moi allons vivre ensemble.

— Ici ? répliqua Salter, qui se maudit immédiatement pour sa réaction agressive et se conditionna pour parler à Angus comme s'il s'agissait du fils des voisins, poliment et en lui témoignant de l'attention.

— Nous avons assez d'argent pour démarrer. Linda a des meubles et, quant à moi, je vais chercher un travail.

Ce n'était pas si surprenant que ça, au fond. Angus couchait avec ses copines depuis qu'il était en âge de s'intéresser aux filles, et il économisait de l'argent, aussi. Salter songea brièvement combien ses fils étaient différents : Seth, le rêveur, l'imaginatif, se mettait dans la peau d'un nouveau personnage chaque année et il était sur le point de devenir acteur. Et Angus, qui avait la tête sur les épaules, organisait son petit monde de manière à en tirer le meilleur avantage, étudiait le commerce et se préparait un été agréable. Il était difficile d'imaginer maintenant qu'Angus ait un jour dit qu'il voulait être acteur, lui aussi, lorsqu'il avait quatorze ans. Salter pensa également aux différences qu'il y avait entre Angus et lui au même âge, mais il eut tôt fait d'interrompre la comparaison, car celle-ci tournait à l'avantage d'Angus.

— Hum. Cela fait pas mal de bouleversements en quelques mois à peine, commenta-t-il finalement.

— Je vais prendre une année sabbatique, papa, précisa Angus.

Rien d'inédit là-dedans : tous les jeunes passaient par là, désormais. Usés à dix-huit ou vingt et un ans, les enfants des classes moyennes faisaient, au moins depuis une génération, une coupure d'une année avant de se lancer dans la vie. Ce qui était étrange, c'est que la raison généralement invoquée était que ces jeunes étaient censés se chercher à Londres ou à Paris ou, plus récemment, au Japon, alors qu'Angus était sûr de lui depuis l'âge de seize ans.

— Tu as des doutes sur ton orientation professionnelle ?

— Oh, non ! J'ai juste envie de voir à quoi ça ressemble, la vraie vie.

— Dans le commerce.

— Ouais.

— Tu penses qu'on va t'embaucher sans diplôme ?

— Si on ne m'embauche pas, on va lancer notre propre affaire.

— Tu as des idées ?

— Des tonnes ! intervint Linda, qui se joignit à eux.

Tandis qu'ils parlaient, Salter se mit en tête de se débarrasser de certaines présuppositions, la première étant que cette fille était une cousine éloignée des hippies qui avaient vu le jour dans la génération suivant la sienne – supposition qui découlait de l'hypothèse précédente selon laquelle elle était probablement une adepte des aliments naturels et qui, bien qu'elle se fût révélée entièrement infondée, avait continué à entacher la perception du policier. En fait, s'il se contentait de les écouter en fermant les yeux, il était manifeste qu'en vertu de son individualisme, la jeune fille était prête à tuer quiconque se mettrait en travers de son chemin vers sa vie rêvée.

Le téléphone sonna : c'était Annie. Après qu'ils eurent échangé les dernières nouvelles et que Salter lui eut appris en compagnie de qui il passait la soirée, il tendit le téléphone à Angus puis passa au salon en compagnie de Linda afin de laisser un peu d'intimité à son fils, à qui il recommanda avant de partir : « Dis-lui. »

— Le repas était délicieux, commenta Salter.

— Ce n'est qu'une question de chimie et de minutage, répondit Linda.

Elle non plus, elle ne manque pas de confiance en elle, pensa Salter.

— Où envisagez-vous de vous installer ? Aux Beaches ou à l'Annexe ? demanda-t-il, nommant les deux quartiers qu'il pensait peuplés de couples vivant joyeusement en concubinage au troisième étage de maisons divisées en appartements.

— Angus veut rester dans le coin, peut-être un peu plus au sud, de sorte qu'on n'ait pas besoin d'avoir deux autos.

Leur conversation suivit son cours, et au bout d'un moment, Angus appela son père de la cuisine.

— Maman veut te parler.

Salter prit le combiné sans avoir la moindre idée de la réaction d'Annie à ce que venait de lui annoncer Angus.

— Je lui ai suggéré d'emmener sa copine ici pour prendre un peu de vacances avant qu'ils ne s'installent, déclara-t-elle dès qu'il fut en ligne. J'aimerais faire sa connaissance, et quant à ma mère, elle sera aux petits oiseaux ! Ça allégera un peu mon fardeau. Qu'en dis-tu ?

Salter ne savait que penser de tout ça. Il avait l'impression de jouer dans une pièce de théâtre où tout le monde connaissait sa réplique, sauf lui. Le naturel reprit donc le dessus :

— Tu vas les loger dans la même chambre ? demanda-t-il en retour, partant du principe que la question était superflue dans la maison d'une douairière octogénaire de l'Île-du-Prince-Édouard.

— Je vais y réfléchir.

— A-t-il répondu oui ?

— Tu n'as qu'à le lui demander. Il m'a dit qu'il devait en parler à sa copine.

Salter se pencha pour regarder dans le salon, la main sur le combiné.

— Dis à maman que c'est oui, l'informa Angus. Mais on ira là-bas en train. Linda ne connaît pas cette région.

Le jeune homme vint dans la cuisine, où il prit le téléphone des mains de son père.

— On viendra en train, maman. En partant demain matin, on sera là après-demain. Tu peux venir nous chercher à la gare ? Génial ! (En silence, il proposa à Salter de reprendre le téléphone : celui-ci fit un signe négatif.) Salut, maman, conclut donc Angus avant de raccrocher.

— Qu'allez-vous faire ce soir ? s'enquit Salter.

— Je vais passer la nuit chez ma sœur, répondit Linda.

Salter se creusa la cervelle et trouva la faille :

— Mais… et votre linge ? objecta-t-il en désignant le sac d'Angus. Vous n'aurez pas le temps de le laver.

— Nous l'avons fait avant de quitter l'université. Nous sommes prêts à partir.

Je n'en doute pas, répliqua mentalement Salter. *Si vous étiez les enfants du voisin, je serais vraiment impressionné… Alors pourquoi est-ce que je me sens aussi triste ?*

CHAPITRE 12

— C'est ce bookmaker fantôme qui m'intéresse, confia Salter à Peterman le lendemain. Il n'y a aucun bookmaker à Brighton. Je pense que je vais fouiller un peu au champ de courses du coin.

— D'après la météo, il va faire beau toute la journée, l'informa Peterman.

Salter faillit rougir. En fait, le besoin d'aller jeter un coup d'œil au champ de courses de Fort Erie avait coïncidé avec son envie de faire une petite promenade d'un tout autre ordre.

Dès que Peterman fut sorti, il ferma la porte de son bureau et composa le numéro de l'hôtel Chelsea.

— Ça te dirait de venir aux courses avec moi ? On partirait pour la journée. On passera voir les chutes Niagara, si ça te tente.

— Ne sois pas stupide. Je suis ici pour travailler.

— Je peux reporter à demain, si ça t'arrange. Quand se termine ta conférence ?

— Elle est déjà finie. J'avais prévu partir demain et aujourd'hui, j'ai des achats à faire. Et du travail, aussi.

— Tu n'as qu'à faire tes achats ce soir. Le centre Eaton ne ferme qu'à neuf heures. Allez, viens aux courses avec moi.

— Je ne vais pas aux courses.

— Tu n'y es jamais allée, tu veux dire. Il faut un début à tout ! Je passe te prendre devant ton hôtel à neuf heures et demie.

— Non, je t'en prie.

— Et pourquoi ça ? Tu as peur de monter dans une voiture avec un inconnu ?

— Bien sûr que non ! J'ai des choses à faire, je te l'ai dit.

— Quel genre de choses ?

— Elles se passent où, ces courses ?

— À Fort Erie. Personne ne te reconnaîtra, là-bas. Il n'y a que des joueurs, des bookmakers et des mafieux. Ta couverture, ce sera l'excursion aux chutes Niagara.

— Oh, arrête un peu. Entendu. Je vais venir à tes damnées courses. Mais avant, je dois aller chercher quelque chose. On n'a qu'à se fixer un point de ralliement.

— Où tu voudras, répondit Salter en riant, heureux d'avoir gagné la partie – ou au moins une manche. Où veux-tu aller faire tes achats ? Aucun magasin n'est ouvert pour le moment.

— Je dois aller chercher le calendrier des cours du soir à Douglas College. Je vais y aller à pied. Je devrais avoir terminé pour neuf heures et demie.

— Tu connais Douglas College ?

— Non.

— Moi, oui. Quand tu auras eu ton calendrier, demande où est la librairie. Je passerai t'y prendre à neuf heures et demie. Mets un long manteau et des lunettes fumées. J'utiliserai ma voiture personnelle, une Jetta bleue.

— Tu t'amuses vraiment comme un petit fou, hein ?

◆

Julie l'attendait sur le trottoir. Elle lisait tranquillement son journal, comme si elle avait l'habitude d'attendre qu'on passât la prendre à cet endroit.

Salter s'approcha et lui ouvrit la portière passager de l'intérieur.

— Entre vite, lui conseilla Salter. Cet endroit est truffé de visiteurs d'Ottawa.

— Encore une comme ça et je descends au prochain feu, l'avertit-elle.

Salter la regarda en souriant :

— Tu es superbe, la complimenta-t-il en lui tapotant le genou.

— Ça suffit. Arrête la voiture. Allez, arrête-toi !

— Je ne le ferai plus, je te le promets, répondit Salter, qui se mit à fredonner. N'est-ce pas une journée magnifique ? ajouta-t-il au bout d'un moment.

— Ça y est, tu es redevenu normal ?

— Presque.

— Bien. Surtout, reste comme ça.

Salter leva les deux mains en signe de reddition.

— C'est bon, garde les mains sur le volant.

Ils n'ajoutèrent pas un mot jusqu'à ce qu'ils fussent parfaitement engagés sur la route Queen Elizabeth, bien après Oakville.

— Allez, raconte-moi la suite de l'histoire de ta vie, demanda Salter. Sinon, tu seras obligée d'écouter *Morningside*.

— Voyons… Dans mon souvenir le plus ancien, un garçon de première année a posé la main sur ma jupe en prétendant que c'était pour rire.

— Tu t'es tellement bien défendue que mon poignet me fait encore souffrir quand le temps est froid.

— Après ça, je suis partie à McGill, où j'ai rencontré celui qui allait devenir mon mari. Je l'ai épousé au bout de six ans, et nous avons déménagé pour aller à l'Université du Wisconsin, où il a fait son doctorat. Après, nous sommes partis à Saskatoon puis à Ottawa, où mon mari est maintenant doyen, de sorte qu'on y restera probablement.

— Oui, mais ça, c'est l'histoire de ton mari, pas la tienne. Et toi ?

— Depuis mon mariage, mon histoire et la sienne se confondent.

— Et c'est tout ?

— Je suis diplômée en biologie et en travail social, et je n'ai jamais exercé dans ce domaine, sauf comme bénévole. Et toi ? Comment as-tu atterri dans la police ? (Elle avait abandonné le ton badin de leur dernière rencontre.) Ah oui, c'est vrai, tu me l'as dit : tu jouais au hockey et ça t'avait paru une bonne idée à l'époque. Et c'est tout ?

— Pas très palpitant, hein ?

— Je ne sais pas, je ne connais pas ta femme.

Salter ne répondit rien.

— Tu as l'air plutôt heureux, continua Julie.

— Plus je vieillis, plus je suis content de rentrer à la maison le soir.

— Aucun regret ? demanda-t-elle, plus par politesse que par envie de connaître la réponse.

— Oh, bien sûr que oui. Tu te souviens de ce poème de Robert Frost, « *The Road Not Taken* », qui parle de ce chemin qu'on n'a pas emprunté ? As-tu déjà pensé… En fait, as-tu pensé, au cours des derniers jours, que si on ne s'était pas connus en 1957, on serait sans doute devenus amants ? Tous les jeunes le font, maintenant. Ils ont même des distributeurs de condoms dans les toilettes.

— Tout le monde y pense, depuis les Beatles. Phillip Larkin a même écrit un poème à ce sujet.

— Penses-tu que cela crée un fossé entre nos enfants et nous ?

— D'après ma fille, notre génération est obsédée par le sexe. Enfin : ses professeurs, au moins, le sont. Elle est à Queen's.

— « Obsédée », c'est un peu fort. « Préoccupée » serait peut-être plus juste.

Une partie du trafic se dirigeait vers Hamilton.

— Nous étions des laissés-pour-compte, moi, la fille de pasteur...

— Et moi, le gamin de Cabbagetown...

— Et Izzy, tu te souviens de lui ? Que faisait-il donc à Victoria College ?

— Il essayait d'échapper à son milieu, comme nous tous, répondit Salter.

— C'est vrai ?

— Toi mise à part, notre point commun était la déception que l'université nous a apportée. Toi, tu t'encanaillais, tu essayais d'échapper au conformisme, mais nous autres, nous ne nous sentions pas à notre place. D'ailleurs, aucun des autres n'est revenu en deuxième année. Quant à moi, je n'y suis resté que quatre mois. Izzy est devenu une sorte de visiteur de prison. Je l'ai revu à la prison Don.

— Non, je ne m'encanaillais pas. Mais tu as raison pour le reste : j'essayais d'éviter les associations étudiantes et la ligue junior.

— Tout ça pour te retrouver en plein dedans plus tard.

— Et toi, qui as-tu épousé ? La fille qui tenait le casse-croûte du Woolworth de Cabbagetown ?

— Ça, c'était facile. Et pas très gentil. En fait, elle est comme toi : école privée, vieille fortune, tout ça.

— Elle vient de Rosedale ?

Julie faisait allusion au quartier bourgeois de Toronto.

— L'équivalent sur l'Île-du-Prince-Édouard, oui.

Lorsqu'ils arrivèrent aux chutes Niagara, ils en étaient à parler de leurs enfants.

Julie ne fut pas passionnée par les chutes, et après cinq minutes passées à les regarder et à se faire saucer, accoudés à la rambarde, ils reprirent la route en direction de Brighton. Une fois à destination, Salter se gara devant le poste de police sans fournir d'explication et laissa Julie dans l'auto tandis qu'il allait rendre visite à ses confrères.

— Ne t'avais-je pas dit que c'était pour le travail ? se justifia-t-il à son retour tandis que sa passagère le considérait en fronçant les sourcils.

— Il te connaît ? répliqua-t-elle en jetant un regard inquiet vers le poste de police.

Le sergent Brock avait raccompagné Salter dehors.

— Arrête de t'inquiéter : il ne connaît pas ma femme.

— Tu lui as dit que j'étais ta femme ?

— Non, je lui ai dit que tu étais mon coéquipier déguisé en femme.

◆

À Fort Erie, Salter guida Julie à travers les tourniquets-compteurs et l'emmena dans le pavillon. En chemin, il acheta deux programmes et lui en donna un qu'elle fourra dans son sac à main sans même y jeter un coup d'œil.

— Tu n'es vraiment jamais venue aux courses ? lui redemanda le policier.

Elle fit non de la tête et adressa un sourire éclatant à la cantonade. Elle aurait certainement affiché la même expression au cours d'une excursion dans le quartier des bordels de Marrakech.

— Il n'y a rien de sorcier là-dedans, expliqua Salter en ouvrant son programme. Regarde : il y a dix courses. Tu choisis un cheval et je placerai un pari pour toi.

— Je vais me contenter de regarder.

— Comme tu voudras. Nous avons le temps de manger un hot-dog avant la première course.

Elle se leva aussitôt et ils se dirigèrent vers le casse-croûte. Après un hot-dog et un Coke, elle s'arrêta pour regarder un peu autour d'elle : Salter essaya de suivre son regard.

— Il y a beaucoup de gens en congé, observa-t-il.

— Quand on est passés devant les guichets de paris, j'ai vu un homme miser cent dollars. Il avait l'air d'un bénéficiaire de l'aide sociale, mais il avait un billet de cent dollars sur lui.

— J'ai cessé de me poser des questions de ce genre il y a bien longtemps. Certaines personnes aiment parier. Ce sont des gens qui ont un travail et qui parient toutes leurs économies. Ils n'ont pas de voiture, ne s'achètent jamais de vêtements et ne vont jamais en vacances : leur seul loisir, c'est le pari.

— Mais c'est affreux !

— Je pense qu'il y a différents stades. La plupart des parieurs pourvoient à l'essentiel et consacrent le superflu au jeu. Mais il y en a qui considèrent que dépenser deux dollars pour une paire de bas est du gaspillage et qui parient de l'argent qu'ils n'ont pas. C'est une vraie dépendance. On peut laisser les choses tourner mal ou alors, on peut les maîtriser, comme avec le bridge. Tu joues au bridge ? Bon, allons voir la première course.

Julie montra du doigt la rangée de guichets de paris :

— Ces panneaux signifient-ils que les Canadiens et les États-Uniens ne parient pas aux mêmes guichets ? Comment sait-on la nationalité du parieur ? Exige-t-on un passeport ?

— C'est la devise dans laquelle tu paries qui les intéresse, pas ta nationalité. Ces panneaux indiquent simplement la devise acceptée à chacun des guichets. Ça leur évite de perdre leur temps à convertir de l'argent. En fait, il y a plus de visiteurs de Buffalo que de Toronto, ici.

Ils traversèrent le pavillon pour aller regarder la piste.

— Est-ce que tous les champs de courses ressemblent à celui-ci ? C'est si joli !

— On dit que c'est le plus joli hippodrome d'Amérique du Nord, mais j'imagine qu'il y a de la concurrence pour ce titre.

Il avait pensé que Julie jouerait deux dollars qu'elle aurait placés sur ses conseils et qu'elle aurait gagné peut-être cinquante cents, mais elle gardait son sac fermement serré contre elle en répétant :

— Je vais me contenter de regarder.

Salter misa dix dollars sur le favori… et perdit.

— C'est vraiment de l'argent jeté par les fenêtres, fit-elle observer.

— J'aurais pu gagner.

— Oui, mais tu as perdu. Dix dollars d'envolés, juste comme ça. Comment peux-tu le supporter ?

— Je n'ai pas pu m'en empêcher. Bon. Il faut que je travaille, maintenant. Ça ne te dérange pas trop de regarder quelques courses sans moi ?

— J'ai apporté un livre, répliqua-t-elle en agitant sous son nez un format poche qu'elle venait d'extraire de son sac.

Pour elle, un champ de courses était comme un jardin public où se pratiquerait une activité incompréhensible.

— Tu seras en sécurité, ici, la rassura Salter, qui ne résista pas au plaisir de plaisanter. Personne ne s'est jamais fait tabasser dans un hippodrome : tout le monde ne pense qu'à la course.

— Allez, va faire ce que tu as à faire. Et après ça, partons.

Salter se présenta au jeune gardien de sécurité posté près des tourniquets, qui examina la photo que le policier lui tendit et la lui rendit immédiatement.

— Désolé. Il m'est impossible de vous dire avec certitude s'il est venu ici l'été dernier. Le gardien qui est là normalement est malade. Je suis juste remplaçant.

— Je suis sûr qu'il est venu ici très souvent, insista Salter. C'est un acteur.

— Attendez une minute.

Le gardien s'approcha des tourniquets, Salter sur ses talons. Il montra la photo à une fille assise derrière l'un des guichets.

— Tu le connais ? lui demanda-t-il. C'est un acteur.

La fille fit un signe de dénégation.

— Dis-lui d'essayer avec Joe Euringer.

— Qui est Joe Euringer ?

— Il connaît tout le monde. Par le passé, il s'occupait de la publicité du théâtre, et il aime les chevaux. Il est ici aujourd'hui : je lui ai parlé.

— Il est peut-être déjà parti.

La jeune fille leva les yeux vers l'horloge murale.

— Il est très certainement au paddock. Il est le propriétaire d'un des chevaux qui courent cet après-midi. Il m'a suggéré de miser dessus. Vous avez un programme ? Nous les avons tous vendus.

Salter lui tendit le sien, qu'elle feuilleta.

— Bird Watcher, annonça-t-elle. Il court dans la prochaine.

— Comment le reconnaîtrai-je ?

— Demandez à n'importe qui au paddock.

— Vous ne pouvez pas y accéder sans laissez-passer, fit observer le gardien.

La jeune fille éclata de rire.

— Pas de problème, dit-elle en ouvrant un tiroir d'où elle sortit une liasse de bandes de carton retenues par un élastique. Avec ça, vous pourrez entrer. (Elle regarda le gardien.) Il est policier, lui rappela-t-elle comme si elle avait affaire à un gamin de dix ans arriéré. Et il mène une enquête.

Euringer était un homme jovial. Il portait un veston de tweed, un pantalon rouge, une cravate jaune, des mocassins bourgogne impeccablement cirés et une casquette de velours bleu. Salter le trouva en train de regarder son cheval que l'on sellait. Lorsqu'il lui expliqua sa mission, Euringer prit le policier par le bras, l'emmena vers l'enclos du paddock et lui dit :

— Ne bougez pas, je reviens tout de suite.

Il repartit au trot vers son cheval, le flatta, gratifia au passage le jockey et l'entraîneur d'une tape sur l'épaule, puis revint, entraîna Salter encore plus loin, le posta près des guichets de paris, misa puis conduisit le policier dans une loge privée pour regarder la course.

— Ce canasson va nous faire gagner, déclara Euringer. Après la course, je suis à vous.

Dix minutes plus tard, Bird Watcher franchit seul le dernier virage et rentra au paddock avec deux longueurs d'avance. Euringer rabattit sa casquette sur ses yeux et annonça fièrement :

— Il a gagné à six contre un.

Puis il croisa les doigts sur son ventre, se tourna vers Salter et poursuivit :

— On peut dire que je n'ai pas perdu ma journée. Maintenant, occupons-nous de rentabiliser la vôtre.

— Je suis venu à propos de Hunter, lui rappela Salter.

— C'est ça. Je le connaissais. J'ai entendu dire qu'il était mort. Il paraît que ça a un rapport avec le jeu, mais je n'en crois pas un mot.

— Pourquoi ?

— Je l'ai connu à Stratford. J'ai travaillé au théâtre pendant dix ans et j'y ai rencontré la plupart des acteurs. Tout le monde sait que je passe tout mon temps libre au champ de courses, et rien ne m'a jamais laissé supposer qu'il aimait parier.

— D'après mes renseignements, Hunter venait souvent ici quand il jouait au théâtre d'été de Brighton, l'année dernière. En tout cas, c'est ce qu'on raconte. J'aimerais confirmer cette histoire. Le gardien qui était près des tourniquets ne m'a été d'aucun secours.

— Qui vous a parlé de moi ?

— La fille qui est au guichet.

— C'est ma petite amie.

— Ah.

— À mon avis, vous êtes en droit de le savoir. Si Hunter est venu à Fort Erie l'été dernier, c'était certainement les jours où je n'y étais pas, qui sont au demeurant fort peu nombreux. Regardez par ici, en bas, dit-il en pointant son doigt en direction des gradins, qui étaient à peu près au quart pleins. Ce n'est jamais aussi achalandé. Je ne l'aurais pas manqué. On vous a dit qu'il venait souvent ?

— Tout le temps.

— C'est impossible, affirma Euringer en secouant vigoureusement la tête. Une fois ou deux, peut-être. Mais pas davantage. On vous a sans doute raconté des histoires. À moins que ce n'ait été Hunter lui-même.

Salter aimait ce qu'il percevait d'Euringer : c'était un homme heureux, exubérant même, mais sensé. Un homme sur lequel on ne risquait rien à expérimenter une petite spéculation.

— À qui Hunter aurait-il raconté des histoires ?

— À Connie Spurling. Vous la connaissez ?

— Je lui ai déjà parlé, oui.

— Évidemment. Elle est venue ici une fois à sa recherche. À mon avis, elle venait vérifier s'il mentait ou non, s'il s'intéressait aux courses pour se créer une petite bulle à lui ou si c'était un alibi.

— Que vous a-t-elle dit quand vous lui avez appris qu'il ne venait jamais ici ?

— Je me suis bien gardé de lui dire que je n'avais jamais vu Hunter ici. C'était un sale con, mais je ne l'aimais pas, elle non plus, et il faut bien être solidaire entre gars. Je lui ai donc dit que je ne venais pas souvent aux courses, mais que je l'y avais vu de temps en temps. J'ai précisé qu'en fait, je l'avais aperçu cet après-midi-là, mais qu'il partait généralement avant les deux dernières courses. Je lui ai proposé d'essayer de trouver un autre témoin, mais ma réponse lui avait suffi. Elle ne voulait pas que je croie qu'elle le surveillait. C'était juste pour bavarder un peu, comme ça, m'a-t-elle assuré. Elle a prétendu qu'elle était simplement passée par là pour le voir parce qu'elle avait un peu de temps devant elle. Ça s'est arrêté là. Mais moi, je vous certifie qu'il n'était pas à l'hippodrome et que je ne l'y ai jamais croisé. Ce que je pense, c'est qu'il lui a servi un alibi classique pour se livrer à ses vieux démons et ça, j'ai décidé que c'était son problème à elle.

— Et c'était quoi, ses « vieux démons » ?

— La baise, évidemment ! Et ce n'est pas seulement une hypothèse de ma part : je l'ai vu, une fois, quitter un motel situé entre ici et Brighton. J'ai reconnu sa vieille Jaguar pourrie. C'était bel et bien lui.

— Seul ?

Euringer se mit à rire.

— Il y avait quelqu'un avec lui, qui portait un foulard sur la tête et des lunettes de soleil. En tout cas, même si je savais qui c'était, je ne vous le dirais probablement pas. Le connaissant, lui, ça pourrait être n'importe qui.

— Vous vous souvenez du nom du motel ?

Euringer fit un signe de dénégation.

— On ne peut pas le voir depuis l'autoroute. Je pense qu'il y avait un panneau indicateur, mais c'est tout. Je me souviens que sa voiture émergeait des arbres. C'était un maudit chanceux, cela dit.

— Pourquoi ?

— Sa copine est venue le surveiller un lundi. Si ç'avait été n'importe quel autre jour, elle l'aurait pris sur le fait. (En voyant l'expression qui se peignait sur le visage de Salter, il se remit à rire.) Vous n'êtes pas au courant ? L'hippodrome n'est ouvert que quatre jours sur sept. (Il se leva et sortit son portefeuille de sa poche.) Je dois aller chercher mes gains et miser pour la prochaine course. Voici ma carte, au cas où, mais à mon avis, vous avez obtenu ce que vous étiez venu chercher. Bon, je vais réclamer mon fric.

— Combien avez-vous misé ?

— Deux cents. Je vous offrirai un verre si vous restez regarder la course suivante.

Salter déclina l'invitation.

— Je vous remercie, mais on m'attend, répondit-il en montrant Julie qui, assise seule dans les gradins, lisait. Elle trouve que les jeux d'argent sont pervers. En tout cas, merci pour tout. Et remerciez votre petite amie pour moi.

— Je n'y manquerai pas, répliqua Euringer qui ajouta, en regardant Julie : Vous devriez en prendre une autre. Une qui aime les canassons. Comme la mienne.

— Ça va, tu ne t'es pas trop ennuyée ?

Julie leva les yeux et lui décocha son plus beau sourire.

— On s'en va ? lui demanda-t-elle.

— Si on part maintenant, on évitera l'heure de pointe.

— Tu as fini de travailler ?

— Presque.

Il l'emmena hors des gradins vers le paddock. Il voulait essayer de lui faire voir un peu de cette magie qui l'avait envoûté en Angleterre, où il avait été initié aux courses de steeple-chase, et qu'il ressentait de nouveau ici. Il se promit que dès qu'Annie et la police lui accorderaient un jour de congé, il irait à Woodbine. Julie n'avait pas éprouvé la moindre émotion à la vue de purs-sangs en action : peut-être qu'une vue plus rapprochée l'y aiderait.

— Allons jeter un coup d'œil aux chevaux qui courent dans la prochaine.

Il la conduisit à l'endroit où les chevaux se mettaient en cercle avant de commencer à marcher en vue de la parade.

— Regarde-les, dit-il. Ne sont-ils pas magnifiques ?

En fait, pendant la semaine, les chevaux qui courent à Fort Erie ne sont pas parmi les plus impressionnants, loin s'en faut – les bourses qu'ils décrochent plafonnent à quatre ou cinq mille dollars –, mais les yeux de profane de Salter les magnifiaient.

Julie demeurait silencieuse : comme elle examinait attentivement chaque cheval à mesure qu'ils défilaient devant eux, Salter crut qu'il avait gagné. À un moment donné, elle se tourna vers lui, les sourcils froncés :

— Quand est-ce que les cavaliers mettent leurs éperons ?

Découragé, Salter lui prit le bras pour la guider vers les tourniquets, en direction de la voiture.

— Pour rentrer, on prendra la route qui longe le lac.

— C'est toi le chef.

Il flâna pour trouver l'endroit qu'il cherchait, où Hunter aurait pu se garer sans être vu. Les deux premiers motels qu'il dénicha étaient trop près de l'autoroute et tous les espaces de stationnement étaient situés à l'avant.

— Qu'est-ce que tu cherches ?

— Un motel invisible depuis l'autoroute. Là !

Le panneau qui le conduisait au Frontier Motel l'éloignait de l'autoroute, le menant, à travers un bosquet d'arbres, sur une petite allée de graviers aboutissant à un motel légèrement délabré. Les propriétaires faisaient tout pour que l'édifice conservât une allure pimpante : la peinture était fraîche, le gazon tondu et les pierres qui bordaient l'allée, blanchies à la chaux. Mais certaines tuiles du toit, qui avaient été remplacées, détonnaient et le panneau indiquant qu'il restait des chambres semblait permanent. Le motel était probablement bon marché et propre, mais il était également vétuste et ne promettait rien d'autre qu'un lit. Il avait visiblement survécu en recueillant les restes des motels huppés que Salter avait aperçus plus tôt.

Aucune voiture n'était stationnée derrière l'établissement, là où l'allée finissait. Salter stationna son auto et en sortit.

— Je reviens tout de suite, assura-t-il à Julie.

À la réception, Salter tomba sur celui qui était visiblement le propriétaire : un septuagénaire qui, debout derrière la porte, avait guetté l'arrivée de Salter à travers la vitre.

— Vous êtes en vacances ? demanda l'homme, réticent à l'idée d'aller se poster derrière son comptoir avant d'avoir pu bavarder un peu. Vous ne venez pas des États-Unis, en tout cas : j'ai vu la plaque de votre auto. Vous venez de Toronto. J'imagine que vous n'aimez pas conduire trop longtemps d'affilée. Vous allez où ?

L'homme s'efforçait de donner l'impression d'être un autre client attendant l'arrivée du bagagiste. Salter devina que le vieil homme tenait là sa seule occasion de conversation de la journée.

— En effet, je viens de Toronto, reconnut Salter.

— C'est bien ce que je me disais. Et vous n'êtes pas en vacances non plus, car sinon, vous ne porteriez pas de cravate. À mon avis, vous êtes dans les affaires. Dans la vente, peut-être ?

Salter lui montra sa carte : le flot de paroles s'arrêta net et l'homme passa derrière le comptoir.

— Regardez cette photo, lui demanda Salter.

Le patron du motel prit la photo et alla l'étudier à la lumière du jour, près de la fenêtre, avant de la redonner à Salter.

— Il n'est pas encore venu cette année, commenta-t-il.

— Vous le connaissez ?

— Il venait deux fois par semaine l'été dernier.

— Il passait la nuit ici ?

— J'ignore combien de temps il restait, et ça ne me regarde pas. Il arrivait l'après-midi et le lendemain matin, il n'était plus là. C'était un très bon client.

— Je vous promets que je resterai discret, mais j'ai besoin de savoir combien de temps il restait.

— Quelques heures.

— Venait-il seul ?

— Il ne venait pas pour se reposer. Il était toujours accompagné.

— Par qui ?

— Une femme.

— La reconnaîtriez-vous si je vous montrais une photo ?

— Ce n'était pas toujours la même. Il y en a une que j'ai remarquée particulièrement : elle portait généralement un grand foulard sur la tête et des lunettes sombres qui cachent aussi le côté, vous voyez ? Elle restait toujours dans l'auto quand il venait chercher la clé, et elle partait vers la chambre en catimini.

— Comment se faisait-il appeler ?

— Il s'enregistrait sous le nom de Henry Irving, mais je n'étais pas dupe : il aurait pu aussi bien prendre celui de Spencer Tracy. Par contre, j'ai son numéro de plaque. Si vous faites des recherches avec ce numéro, vous verrez qu'il s'appelait Alec. (Il ouvrit une petite boîte et se mit à éplucher les fiches d'inscription.) Ah ! voilà.

Salter prit en note le numéro de plaque, bien qu'il fût déjà certain de l'identité du client.

— Alec, vous dites ?

— J'ai entendu une femme l'appeler comme ça une fois. J'étais en train de nettoyer la chambre voisine de la leur. Je m'étais efforcé de faire un peu de bruit pour qu'ils sachent qu'il y avait quelqu'un, mais ça ne semblait pas les déranger. Lui, je ne l'ai pas entendu l'appeler, elle. Peut-être qu'il ne connaissait pas son nom.

— Et vous ne pourriez pas me la décrire ?

— Je n'ai pas bien pu regarder à chacune de ses visites. Et comme je vous l'ai dit, je ne crois pas qu'il venait avec la même chaque fois. Vous voyez ce que je veux dire ?

— Je crois que oui. Bon, merci, dit Salter en tournant les talons.

— À mon avis, vous pourriez avoir besoin d'une chambre, intervint alors l'homme en désignant du menton la voiture de Salter, par la fenêtre.

— C'est un peu tôt pour moi : on est au milieu de l'après-midi.

— Elle est dans la police, elle aussi ?

— Je la raccompagne à Toronto.

— Qu'est-ce qu'elle a fait ?

— Je ne le sais pas encore.

Au moment où Salter ouvrait la porte, le patron lança :

— Une fois, quelqu'un l'avait suivi.

Salter referma la porte et fit demi-tour.

— Après que cet Alec et son accompagnatrice sont entrés dans leur chambre, une voiture est arrivée dans l'allée. Je me tenais prêt à louer une chambre, mais l'auto a contourné la réception et s'est arrêtée. (L'homme dessina du doigt un arc de cercle figurant le trajet du véhicule.) Puis elle a reculé et elle est partie. À mon avis, on voulait simplement vérifier si l'auto d'Alec était là.

— Vous êtes très observateur, le complimenta Salter. Avez-vous vu qui était dans la voiture ?

— Un gars. C'est tout. Dans une petite auto grise. C'est tout ce que je me rappelle.

Lorsqu'il sortit enfin, Salter fut surpris de trouver Julie hors de l'auto : elle semblait attendre. Quand il arriva à sa hauteur, elle lui demanda :

— C'est quelle chambre ?

Il ne comprit pas tout de suite, mais lorsqu'il saisit enfin le sens de sa question, il ne parvint à rien faire d'autre que la répéter.

— Quelle chambre ?

Sur ce, elle fit volte-face et rentra dans l'auto, où elle resta immobile à regarder par la fenêtre, de son côté.

Salter la rejoignit. Elle lui demanda alors :

— Tu travaillais, c'est ça ?

— Ouais. J'essayais de suivre la piste de quelqu'un.

Julie était très en colère ; pendant la plus grande partie du trajet, elle refusa même de regarder dans la direction de Salter. Mais celui-ci voulait en avoir le cœur net, aussi risqua-t-il une question au moment où ils dépassaient le parc des expositions :

— Tu croyais que j'étais allé prendre une chambre pour nous deux ?

Elle s'adossa et le regarda en silence.

— Et tu étais sur le point de dire oui ? ajouta-t-il d'une voix hésitante.

— J'aurais dit oui il y a trente-quatre ans, mais tu étais trop dégonflé pour me poser la question.

Ce fut au tour de Salter de rester silencieux.

Elle avait eu une heure pour réfléchir à ce qu'elle allait dire :

— Tu ne t'es jamais engagé, tu n'as jamais fait le premier pas. Tout comme moi à l'époque. Moi, mes sentiments étaient clairs, mais tu n'as jamais risqué quoi que ce soit. Tu aurais pu m'avoir il y a trente-quatre ans, comme tu aurais pu m'avoir dans ce motel, là, aujourd'hui. Rien ne change jamais, n'est-ce pas ?

Salter avait à son tour eu le temps de penser.

— Je n'y crois pas. Pas à l'époque. Maintenant, peut-être, mais pas autrefois. Tu ne m'as jamais envoyé aucun signal, à ce moment-là.

— Je ne connais pas les signaux. C'est toi qui en émettais ou, en tout cas, tu jouais à le faire. C'est toi qui avais de l'expérience.

— Ça, ça n'est venu que plus tard.

— Tu étais puceau ?

— Presque.

— Seigneur ! Et moi, dans tout ça ? Qu'est-ce que je représentais à tes yeux ?

— Je ne crois pas en avoir jamais eu une idée très claire. Je ne pouvais m'imaginer t'épouser et je n'imaginais pas que tu aurais pu t'engager dans autre chose. Je ne connaissais rien aux filles comme toi. Ma mère était femme de ménage pendant la Dépression. Elle travaillait sans doute dans la maison de la tienne.

Julie eut un bref rire artificiel.

— Quand tu m'as proposé d'aller aux courses, je me suis interrogée. Et lorsque tu as tourné pour prendre l'allée de ce motel, je me suis dit qu'enfin, après toutes ces années, nous allions conclure une histoire qui avait commencé en 1957. À cette époque-là, je me demandais comment « ça » serait, dans l'absolu, et à quelques reprises par la suite, je me suis demandé comment ça aurait été avec toi. C'était juste de la curiosité, pas vraiment du désir. Maintenant je sais.

— Comment ça ?

— Je sais ce qui se passe quand on se retrouve dans un motel avec Charlie Salter.

— Et que se passe-t-il ?

— Rien du tout. Pas plus maintenant qu'à l'époque. Je me sentais aussi intimidée que je l'aurais été dans notre jeunesse. Si tu avais saisi ce que je pensais – sur le moment, je veux dire –, qu'aurais-tu fait ?

— J'aurais été vraiment très, très intimidé.

— Encore ? À cause de moi ?

— Exactement comme je l'aurais été il y a trente-quatre ans.

À ce moment-là, Julie se mit à rire vraiment.

— Tu aurais eu une sacrée responsabilité ! Rien n'a changé… Allez, dépose-moi au coin de Bay et de Gerrard. Je dois m'acheter du shampooing.

Tandis qu'elle sortait de l'auto, Salter demanda :

— Si je viens à Ottawa, je pourrai prendre contact avec toi ?

— Bien sûr. J'aimerais que tu rencontres mon mari. Je lui ai souvent parlé de toi.

— Tu veux dire que j'ai manqué ma chance ?

— Bien sûr que tu l'as manquée, répondit-elle dans un sourire qui indiquait un léger fléchissement. Retente ta chance dans trente ans, ajouta-t-elle.

CHAPITRE 13

— Personne ne le connaissait à Fort Erie, affirma Salter à Peterman le lendemain. Il ne jouait pas : il passait ses après-midi dans des chambres de motel.

— Avec qui ?

— Pas avec Connie Spurling, en tout cas. Elle le surveillait.

Salter narra à Peterman comment Euringer avait fait croire à Connie Spurling que Hunter était un habitué de l'hippodrome.

— Penny Wicklow, celle qui joue la grand-mère dans la pièce de théâtre, était dans la même compagnie que Hunter l'année dernière. Elle sait peut-être quelque chose.

— Ouais. Mais elle pourrait préférer ne rien dire.

— Pourquoi ?

— Ça pourrait être elle, l'inconnue au foulard et aux lunettes noires. Elle n'est pas si vieille que ça. Comment allez-vous aborder la question ?

— L'une des femmes qui travaillait dans la compagnie l'été dernier s'est suicidée. Je me disais que je pourrais poser des questions là-dessus à Wicklow pour casser la glace puis glisser sur le point qui nous intéresse.

Peterman consulta sa montre.

— Il n'est que neuf heures. Les acteurs sont-ils debout à une heure pareille ?

— C'est ce qu'on va voir.

Sans s'être annoncé, Salter sonna à l'appartement de Penny Wicklow, situé sur Madison Avenue. Lorsque l'actrice lui ouvrit, elle lui lança un regard peu amène, du genre de celui qu'on réserve aux colporteurs. Elle avait l'air de quelqu'un qu'on a dérangé : elle sortait visiblement de sa douche et s'était vêtue à la hâte pour ouvrir à son visiteur. Elle arborait le chandail de la veille sur un jean couvert de taches de peinture. Dès qu'elle reconnut Salter, elle fit bouffer ses cheveux et rajusta son jean.

Salter attendit qu'elle le fasse entrer, mais elle continuait d'avoir l'air réticente à ce qu'il vît la pile de linge sale qui traînait au milieu du salon. Elle hésita assez longtemps pour qu'il se sentît obligé de la rassurer par un « Ce ne sera pas long. »

Elle recula donc pour le laisser passer puis le précéda dans l'escalier. Dans le salon, elle hésita encore avant de l'inviter à s'asseoir et se posa elle-même au bord d'un fauteuil. La pièce était plus ou moins comme Salter l'avait imaginée, en désordre et pleine d'objets et de vêtements qui traînaient plutôt que meublée et décorée. Les murs étaient couverts d'objets et de gravures, et la pièce contenait un assortiment de choses sur lesquelles s'asseoir, notamment un tabouret à traire et un trône de décor de théâtre fait de contreplaqué peint en doré.

— Nous avons enquêté sur le passé de Hunter, annonça Salter en préambule. Nous essayons de trouver une piste qui nous expliquait comment il a fini par se faire tuer dans un motel du bord du lac.

— Il est allé rembourser un bookmaker, intervint promptement Wicklow d'un ton qui n'admettait pas de réplique.

— Vous l'a-t-il dit ?

— Tout le monde le sait. Connie Spurling lui a donné l'argent.

— C'est ce que nous nous efforçons d'établir. Il avait l'habitude de jouer de l'argent pendant le théâtre d'été, l'année dernière à Brighton ?

Penny Wicklow le considéra ; elle laissa s'écouler assez de temps avant de répondre pour que Salter comprît qu'elle allait lui servir une réponse prudente :

— C'est ce qu'il disait.

— Il paraît qu'il allait à Fort Erie plusieurs fois par semaine.

— C'est ce qu'il disait, en effet, répéta-t-elle.

Salter avait noté sa circonspection, aussi abandonna-t-il le sujet, quitte à y revenir plus tard.

— J'ai découvert un autre incident qui m'a intrigué. J'ignore s'il a un rapport quelconque avec l'affaire, mais ce n'est pas impossible.

— Vous voulez parler de Mary Mikhail.

— C'est vous qui l'avez trouvée morte, je crois.

— J'étais avec Sonia Lewis. Elle devait retoucher nos costumes et ne s'était pas présentée au rendez-vous : nous sommes donc allées chez elle.

— Ça a dû être un choc.

— Nous étions horrifiées. Je n'avais jamais été témoin d'un suicide par le passé.

— Vous avez tout de suite compris ce qui s'était passé ?

— Elle avait pris une surdose de barbituriques.

— Vous avez une idée de ce qui l'a poussée à se suicider ?

— Elle était déprimée.

— Pourquoi ? Y avait-il une raison particulière ou était-elle simplement dépressive ?

— C'était à cause de moi, répondit une voix masculine.

John Matera, l'acteur qui jouait le frère du héros, apparut sur le seuil de la porte de la chambre, vêtu d'un pantalon de toile beige et d'un chandail de coton. Il émanait de lui une forte odeur de déodorant. Il entra dans le salon et s'assit.

— Bon. Je vais vous faire gagner du temps, déclara-t-il. Quand elle est arrivée à Brighton, Mary Mikhail était ma petite amie. Je suis venu la rejoindre quelques fois, mais à l'époque, je travaillais comme serveur et je cherchais un rôle, de sorte que je ne pouvais pas vraiment venir tous les jours. Et puis, deux ou trois fois, elle s'est retrouvée trop occupée pour passer beaucoup de temps avec moi et à quelques reprises, elle n'était pas là. Elle était partie faire un tour en auto, alors qu'elle savait que j'étais susceptible de venir. Et puis j'ai rencontré Penny : peu après, quand je venais à Brighton, c'était pour la voir, elle. Mary a tout découvert – notre couple battait de l'aile, alors elle a accepté la situation. Mais en réalité, ça l'a affectée assez pour se foutre en l'air.

— À mon avis, beaucoup de choses la déprimaient, ajouta Penny Wicklow, visiblement pour diluer l'effet du récit de Matera.

Salter trouvait que c'était une femme intelligente.

— Et voilà, conclut Penny Wicklow après un silence. Vous voyez, rien à voir avec Alec Hunter. D'ailleurs, je crois ne les avoir jamais vus ensemble.

Matera frottait lentement son chandail contre son torse, comme s'il cherchait à le lustrer.

— C'est ça, rien à voir avec Hunter, confirma-t-il.

— Tous les faits un tant soit peu étranges qui ont un lien avec lui doivent être vérifiés, expliqua Salter.

— C'est ce que je disais : cette histoire n'a aucun lien avec Hunter.

— Parfait, dit Salter. Maintenant, laissez-nous seuls une minute, voulez-vous ?

Matera eut l'air d'être sur le point de s'y opposer, mais Penny Wicklow le calma d'un geste rapide.

— J'allais partir, rétorqua l'acteur. Je dois aller travailler. Je rapporterai de quoi dîner, ajouta-t-il à l'intention de son amie de cœur.

◆

Penny Wicklow affichait encore un sourire béat après qu'il eut refermé la porte.

— Il vit ici, révéla-t-elle à Salter quand elle eut repris ses esprits. Avec moi, je veux dire.

— Parlez-moi de Hunter quand vous étiez à Brighton. Était-il aussi apprécié que dans la pièce que vous jouiez à l'Estragon ?

— Nous travaillions ensemble, mais hors de la scène, je gardais mes distances. C'était plutôt facile, puisque Connie Spurling jouait les chiens de garde.

— Plusieurs personnes me l'ont affirmé, en effet. Était-elle là tout le temps ?

— Quasiment tous les soirs. Elle devait repartir à Toronto chaque matin, mais elle revenait à la fin de la journée. Elle était toujours là au tomber du rideau.

— Et dans l'après-midi, Hunter allait aux courses.

— C'est ce que je pense.

— Gagnait-il beaucoup ?

— Comme je vous l'ai dit, je gardais mes distances, mais vers la fin de l'été, il semblait constamment fauché, voire pire.

— Y allait-il toujours seul ?

— À mon avis, oui. Quand il n'était pas avec Connie Spurling, où qu'il aille, il y allait seul.

— Avez-vous remarqué quiconque dans les parages qui aurait semblé attendre Hunter ?

— Quel genre de personne ?

— Vous savez comment Hunter a été tué : quelqu'un du genre truand.

— Comme dans *Embrasse-moi, chérie* ? Non, je n'ai jamais vu personne de ce style traîner autour du théâtre.

— Dans votre souvenir, Hunter est-il jamais allé à Buffalo ?

— Je ne m'en souviens pas. Écoutez, j'aimerais vous être plus utile, mais n'oubliez pas que j'avais mes propres problèmes, vu que je faisais tout ce que je pouvais pour cacher ma liaison avec John. Même après la mort de Mary, nous avons tenu notre liaison secrète aussi longtemps que nous l'avons pu. Je ne voulais pas qu'on dise que tout était arrivé à cause de moi, d'autant que ce n'était pas vrai. John vous l'a dit lui-même : ça allait déjà mal entre eux avant que je n'arrive dans le paysage. C'est bel et bien arrivé dans cet ordre-là, mais vu de l'extérieur, les gens auraient eu tendance à croire le contraire.

Et ce fut tout. Mais ce n'était pas rien.

◆

Lorsqu'il fut de retour à son bureau, Salter fut informé que le chef adjoint l'attendait.

— J'ai convoqué Horvarth pour que nous ayons une petite conversation, lui annonça Mackenzie qui ajouta, après avoir consulté sa montre : À onze heures. Il veut que vous soyez présent.

— Pourquoi moi ?

— Parce qu'il semble penser que vous êtes de son côté.

— Si je devais parier, je miserais effectivement sur lui. Comme je vous l'ai dit, il est en colère, mais je ne crois pas qu'il craigne pour son matricule. Qui d'autre sera là ?

— Le gars de la GRC qui a pris les photos, son supérieur – il voulait un témoin, lui aussi –, vous et moi. Ça fait pas mal de monde, finalement.

— Et ce n'est pas une enquête officielle.

— Non. Juste une conversation informelle. Mais si ça vient à se savoir quand on en sera à l'étape officielle, j'aurai des problèmes. Je suis tenté de tout annuler et de passer directement la main aux Affaires internes, mais je ne le ferai pas. Et vous savez pourquoi ?

— Non, pourquoi donc ? répondit obligeamment Salter, accoutumé aux questions rhétoriques de son supérieur.

— Parce que vous m'avez assuré que Horvarth pouvait expliquer ces photos et que je me suis rappelé que mon patron était lui aussi de la vieille école, de sorte qu'il trouverait le moyen de me demander pourquoi je n'ai pas eu cette petite conversation avant que les journaux ne publient un article mentionnant qu'un de nos gars s'est fait prendre la main dans le sac puis, plus tard, un autre précisant que le gars en question a été blanchi, duquel tout le monde déduira qu'il a été couvert. Vous voyez ce que je veux dire ?

À onze heures, tout le monde se réunit dans le bureau du chef adjoint à attendre Horvarth ; ce dernier avait été aperçu dans l'édifice, mais il n'avait pas encore fait son apparition dans le bureau de Mackenzie. Les deux représentants de la GRC s'assirent dans leur coin : le plus jeune, qui ne devait pas avoir plus de vingt-deux ou vingt-trois ans, était bien droit sur sa chaise. Nerveux, il évitait tout contact visuel, mais son visage révélait qu'il se tenait prêt à se justifier. Son partenaire, bien plus âgé que lui, lui tournait légèrement le dos : il avait visiblement hâte d'en avoir terminé.

— Je vous présente l'agent Hicklin et le sergent Derry, dit Mackenzie. Et voici l'inspecteur d'état-major Salter. C'est le sergent Horvarth qui a souhaité sa présence, ajouta-t-il à l'intention des deux visiteurs, qui considéraient Salter d'un œil interrogateur. Ah ! voici Horvarth.

En franchissant la porte, le sergent jeta un regard à Hicklin puis hocha la tête avant de s'asseoir. Ses joues brillantes et ses yeux bleus globuleux lui donnaient toujours l'air d'un clown, mais ce qui frappait chez lui à cet instant, c'était son air satisfait.

— Bien, lança le chef adjoint en tripotant les papiers qui se trouvaient sur son bureau afin de se donner une contenance. Il ne s'agit que d'une petite réunion informelle, histoire de faire le point. Ça vous va, sergent Derry ?

L'interpellé fit un signe de tête affirmatif.

— Nous devrons peut-être vous quitter de bonne heure, ajouta le sergent de la GRC.

— Je comprends fort bien. Pouvons-nous commencer ? demanda Mackenzie en regardant Horvarth, qui répondit par un haussement d'épaules interrogateur.

Le chef adjoint s'adressa alors à l'agent Hicklin.

— C'est bien vous qui avez pris ces photos ?

Le visage du jeune homme s'empourpra tandis que ses lèvres firent une moue : crispé et sur la défensive, il se tourna vers le sergent Derry en quête d'appui.

— Oui, c'est bien lui, répondit ce dernier.

— D'après ce que j'ai compris, il y aurait eu deux incidents. En quoi consistait le premier ? s'informa Horvarth.

Mackenzie regarda alors l'agent Hicklin qui, après un signe d'encouragement de la part de son sergent, répondit :

— C'était à Greenwood.

— Quand ?

— Le douze avril.

Intrigué, Horvarth sortit un agenda de sa poche. Il le feuilleta, puis hocha la tête. Il fouillait visiblement sa mémoire.

Salter savait pertinemment que Horvarth avait déjà vérifié son emploi du temps de cette journée-là et que le sergent avait minutieusement préparé cette entrevue. *N'en fais pas trop,* eut-il envie de lui conseiller. *Vas-y carrément.*

— C'est exact. J'étais à Greenwood.

Tout le monde attendait que l'agent Hicklin poursuive ; il s'exécuta.

— Je vous ai vu prendre de l'argent des mains de l'un des parieurs, précisa-t-il.

— C'est exact, confirma Horvarth. Nous étions ensemble, vous et moi, ce jour-là. Je vous faisais visiter et je vous montrais les joueurs.

— Vous y étiez pour jouer vous-même, et je vous ai vu récolter de l'argent des mains d'un des parieurs, dans le secteur proche des guichets de paris.

Une fois encore, Horvarth sembla s'efforcer de se souvenir. Puis il demanda à Mackenzie :

— Pouvez-vous demander au sergent Lindstrom de venir nous rejoindre, monsieur ?

Le chef adjoint lança un regard d'avertissement à Horvarth, qui demeura imperturbable. Il s'empara donc de son téléphone pour convoquer Lindstrom.

L'attente ne dura qu'une minute, mais elle fut assez longue pour que tout le monde eût du mal à ne pas montrer son impatience, sauf Horvarth, qui continuait à feuilleter son agenda, et le chef adjoint, qui l'observait.

Lindstrom fit son entrée : il alla directement serrer la main de Horvarth.

— Comment ça va ? lui demanda-t-il. Tu nous manques, mon vieux.

— Asseyez-vous, Lindstrom, dit le chef adjoint. Avant toute chose, je vous précise que cette réunion est informelle et qu'elle devra rester confidentielle.

Lindstrom prit place sur une chaise et jeta un regard prudent sur l'assemblée. Horvarth lui adressa un sourire en réponse au sien.

— Avez-vous été en contact avec le sergent Horvarth depuis que ce dernier est en congé ? lui demanda le chef adjoint.

— J'ai suivi vos ordres, monsieur. Nous ne nous sommes pas parlé.

— Parfait, répliqua Mackenzie en se tournant vers Horvarth.

— Tu te souviens du douze avril à Greenwood ? dit ce dernier.

Lindstrom réfléchit un instant, puis secoua la tête.

— Mais oui, rappelle-toi : Blitzkrieg Days a gagné dans la troisième.

Un large sourire éclaira alors le visage de Lindstrom.

— Ah oui, je m'en souviens. J'ai eu les trois premiers dans l'ordre.

— Que s'est-il passé d'autre cet après-midi-là ?

— Tu étais là-bas. Avec lui, ajouta Lindstrom en désignant Hicklin du menton.

— Exact. Que s'est-il passé après que tu as été chercher tes gains ?

— C'est à ce moment-là que tu m'as vu.

— Et ?...

Lindstrom fouilla encore sa mémoire, puis éclata de rire :

— Je t'ai rendu les cinquante dollars que je te devais.

— Merci.

— Ce sera tout, Lindstrom, dit alors Mackenzie sans lever les yeux.

Lindstrom se leva.

— C'est vraiment tout ? dit-il, perplexe. À plus tard, Joe, ajouta-t-il lorsqu'il eut compris l'enjeu de cette petite conversation.

— Tu veux vraiment aller plus loin ? demanda le sergent Derry au jeune agent.

— Il ne peut pas nier ce qu'il y a sur les photos, se récria ce dernier.

Mackenzie se saisit d'une des photos où l'on voyait Horvarth en compagnie d'un bookmaker. Impossible de savoir qui donnait l'argent à qui.

Horvarth regarda lui aussi la photo ; il arborait un air à la fois innocent et interrogateur.

Tu es allé trop loin, songea Salter ; le chef adjoint avait compris qu'Horvarth préparait un coup et cela lui déplaisait visiblement.

— Pourriez-vous demander au sergent Visser d'apporter ce que je lui ai donné, monsieur ?

Mackenzie appela Visser et déclara à l'intention des deux représentants de la GRC :

— Le sergent Visser détient la clé du coffre qui contient les pièces à conviction.

Visser arriva, une enveloppe de papier brun à la main. Le chef adjoint prit l'enveloppe et congédia Visser. Une fois ce dernier parti, il ouvrit l'enveloppe, qui contenait une liasse de billets de cent dollars.

Horvarth s'était préparé pour son petit spectacle.

— Examinez-les attentivement, monsieur. Prenez-en un et regardez-le au jour.

— Ce ne sera pas nécessaire, répondit Mackenzie en jetant l'enveloppe sur le bureau. Il y a un descriptif sur l'enveloppe. Ce sont des faux. Et alors ?

— C'est Jack Spicer, un bookmaker, qui me les a remis. C'est lui qui est sur la photo. L'un de ses clients les lui avait donnés en guise de mise. Lorsque Spicer a essayé d'en écouler un, il s'est rendu compte qu'il s'était fait avoir. Comme on s'entend assez bien – je l'ai arrêté deux fois par le passé –, il m'a appelé pour me demander ce qu'il devait faire de ces faux billets. Il était prêt à endosser la perte – il fallait bien que quelqu'un le fasse –, mais il voulait se racheter une conduite auprès de nous. Nous avons donc convenu d'un rendez-vous pour qu'il me rende les faux billets, que j'ai rapportés ici et confiés au sergent Visser afin qu'il les mette au coffre. Je m'apprêtais à les transmettre à l'escouade des fraudes, mais avant que j'aie pu faire quoi que ce soit, j'ai été placé en congé.

— Allez, on rentre, mon garçon, ordonna aussitôt le sergent Derry à l'agent Hicklin.

Après leur départ, l'atmosphère demeura lourde dans le bureau de Mackenzie.

— Eh bien, Horvarth, vous avez eu votre heure de gloire, on dirait. À mon tour, maintenant : pourquoi n'avez-vous pas dit tout de suite de quoi il retournait ?

— J'avais besoin de savoir qui avait pris les photos. Je craignais que ce ne soit Lindstrom. Mais après, quand j'ai entendu parler du premier incident, j'ai commencé à avoir ma petite idée, mais je voulais en être sûr.

— Le gamin a fait un peu trop de zèle, mais je ne vois toujours pas la raison de toute cette histoire.

— J'ai été son instructeur. Il suivait un cours que je donnais à la GRC. Quand j'ai été affecté ici, je me suis trouvé à travailler avec lui.

— Combien de temps a-t-il été dans l'équipe chargée des jeux ? s'enquit alors Salter.

— Deux ou trois mois.

— Quand il est arrivé à Toronto, ce jeune idéaliste a pris son ancien instructeur sur le fait une première fois, puis une seconde. Pour lui, c'était évident. On aurait pu en écrire une pièce de théâtre.

— Il aurait dû commencer par s'informer sur l'identité du gars qui m'avait refilé l'argent à Greenwood, intervint Horvarth. S'il avait su que Lindstrom était flic, il se serait peut-être posé des questions.

— Il ne lui est probablement pas venu à l'esprit qu'un membre de la police de Toronto pouvait miser de l'argent, commenta Mackenzie. OK, Horvarth : nous avons eu notre petite conversation, mais celle-ci n'a jamais eu lieu. J'ai donc fait ce qu'il fallait. Cela dit, je ne vois toujours pas pourquoi j'ai passé une aussi mauvaise semaine. Nous aurions pu tirer tout ça au clair autrement. Vous auriez pu tout m'expliquer dès le début. Vous ne referez jamais ça.

— Bien sûr que non.

— Ce n'est pas un conseil, c'est une certitude. Vous êtes muté à l'Unité des relations avec la communauté. Soyez gentil avec les minorités ethniques.

— Je ne retourne pas dans mon escouade ?

— Vous ne comprenez pas que vous n'y seriez plus d'une grande utilité ? Je ne pourrai plus jamais avoir confiance en vous.

CHAPITRE 14

— Et c'est tout? Vous croyez que je suis fichu? demanda Horvarth à Salter une fois qu'ils furent sortis du bureau du chef adjoint.

— Pour le moment, je dirais que oui. Cette histoire lui a déplu. À cause de vous, il a dû prendre un risque et il n'a guère apprécié, même si ça s'est avéré payant.

— Vous le connaissez bien, monsieur, non? Est-ce qu'il est rancunier?

— Je ne crois pas. Mais il n'a plus aucune raison de l'être, vous ne pensez pas? Il vous a muté, après tout.

— C'est permanent, à votre avis? Vous croyez que je pourrai retourner un jour dans mon escouade?

Salter saisit la requête qui se cachait derrière cette simple question. Il comprenait aussi que Horvarth appartenait corps et âme à l'escouade des jeux: Maurice Taber avait bien raison à ce sujet.

— Venez dans mon bureau, dit-il.

Une fois qu'ils furent installés et que la porte fut refermée, il poursuivit:

— J'estime que vos ennuis ne font que commencer. Pour le moment, le chef adjoint est un peu secoué et il en a juste un peu assez de vous, mais dans quelque temps, il va comprendre ce que vous aviez vraiment en tête et vous pouvez être sûr qu'il va se demander ce qu'il pourrait bien vous faire d'autre.

Horvarth ressemblait enfin à un vrai clown, tant son expression de surprise était intense.

— Comment ça, ce que j'avais vraiment en tête ?

Apparemment, il n'avait pas vraiment réfléchi à ce qui se produirait après qu'il aurait obtenu satisfaction.

— C'est vous qui avez piégé le gamin, n'est-ce pas ? Ces photos avec le bookmaker étaient vraiment trop bonnes pour avoir été prises par accident. Vous avez dû prendre l'argent assez lentement pour que les clichés ne soient pas flous. Pourquoi ?

Par trois fois, Horvarth essaya de parler, mais il chercha en vain des mots qui pouvaient convenir à son air offusqué. Il finit donc par lâcher prise et jouer franc jeu :

— D'accord. J'avais vu son expression quand Lindstrom m'a remboursé à Greenwood, et vous auriez tort de croire que c'était celle d'un idéaliste qui découvre que son instructeur est un escroc : c'était plutôt celle du flic ambitieux qui saisit l'occasion de se faire bien voir en dénonçant son instructeur. Il pensait qu'il pouvait se justifier en arguant du fait qu'il me prenait la main dans le sac, mais en réalité, sa démarche avait pour unique but de servir ses propres intérêts. Il ne m'a donc jamais posé la moindre question sur cet argent, mais après l'incident de Greenwood, il m'a surveillé, tout comme je le surveillais, moi. Vous avez raison : j'ai tout fait pour qu'il ait des soupçons sur mon comportement, ce matin-là, et pour qu'il ait son appareil photo sur lui. J'ai été son instructeur, nom de Dieu ! J'étais encore censé lui apprendre le métier. Il aurait pu montrer son intégrité de bien d'autres manières.

— Dans ce cas, je dirais que c'est plutôt vous, l'idéaliste. Mais Mackenzie n'est pas un idiot : il n'aura pas besoin de moi pour additionner deux et deux. Le sergent Derry non plus, d'ailleurs. Il réglera ses comptes avec Mackenzie à un moment ou à un autre. Quant à Mackenzie, il se demandera si vous étiez prêt à aller jusqu'au procès pour faire votre petite démonstration. Vous êtes quand même un trou de cul, vous le savez ?

— Il fallait que j'aille trop loin pour que les gars de la GRC ne pensent pas que Mackenzie me couvrait.

— Je n'en suis pas si sûr.

— Cela dit, personne ne peut prouver que j'ai tout organisé.

— Ce ne sera pas nécessaire. Il suffit que Mackenzie le sache. Et le bookmaker ? Pouvez-vous être sûr qu'il va garder le secret ?

— Oh, sans aucune hésitation. Mais vous ?

— Comment ça, moi ?

— Vous allez tout raconter au chef adjoint ? Il pourrait très bien avoir besoin qu'on l'aide un peu pour y voir clair…

— Je n'ai rien à voir avec tout ça. Je ne suis pas sa taupe. Ce qui m'importe, c'est qu'il ne croie pas que je suis la vôtre. En passant, pourquoi souhaitiez-vous que j'assiste à cet entretien ?

— Je ne sais pas. Je pensais juste que…

— Vous vouliez un spectateur pour vous applaudir, c'est ça ?

Horvarth baissa la tête et contempla ses souliers.

— Allez-vous lui glisser un mot en ma faveur ?

— Vous voudriez que je plaide en votre faveur ?

— Ouais.

Salter comprit qu'il se trouvait dans une de ces situations où l'on n'a pas d'autre choix que de répondre oui. La supplique de Horvarth était à peine voilée.

— Je n'aurai probablement pas l'occasion de mettre mon grain de sel dans cette histoire, mais si cela se présente, je dirai au chef adjoint qu'à mon avis, vous n'êtes pas assez futé pour avoir imaginé un tel scénario ni assez stupide pour l'avoir mis en œuvre, si toutefois vous y aviez pensé.

— C'est crédible. Cela dit, j'aimerais quand même retourner dans mon escouade.

— Seigneur, Horvarth ! Vous en demandez beaucoup.

Horvarth écarquilla les yeux et croisa les jambes. Salter eut en un éclair la vision de deux pieds géants de clown s'agitant dans les airs.

— J'excelle en la matière, répliqua le sergent.

— C'est aussi l'avis de Taber. Si j'en ai l'occasion, ce dont je doute, je répéterai au chef adjoint ce qu'il m'a dit. Mais d'ici là, vous serez certainement en train de classer des dossiers au Centre de cautionnement et de libération conditionnelle.

— J'apprécie votre intention.

Horvarth laissa passer un silence afin d'ajouter du poids à ce qu'il venait de dire.

— Au fait, comment avance votre affaire ? demanda-t-il à Salter.

— Je cherche toujours le type auprès de qui Hunter avait parié, répondit ce dernier. J'aimerais mettre la main sur la personne, ou les personnes, avec qui il aurait placé des paris, ou sur quiconque sachant avec qui il pariait. Je me retrouve avec un gars qui a été tué à cause du jeu, et je ne suis pas capable de mettre la main sur son ou ses partenaires de jeu.

Horvarth regarda sa montre et se leva prestement de son fauteuil.

— Je vais y consacrer le reste de ma journée et ma soirée. Vous avez une photo ?

Salter lui tendit celle qu'il avait toujours sur lui.

— Vous en voulez plusieurs exemplaires ?

— Non, celle-ci me suffit. Je vais la montrer un peu partout. Donnez-moi votre numéro de téléphone à la maison : je vous passerai un coup de fil ce soir.

◆

Horvarth appela à vingt-trois heures trente.

— J'ai pris contact avec tous les bookmakers qu'on connaît à Toronto, et j'ai visité une cinquantaine des endroits où se prennent des paris clandestins. J'ai parlé aux gardiens de sécurité de Woodbine et de Greenwood. Je n'ai pas la moindre trace du passage de Hunter. Personne ne le connaît et on ne l'a jamais vu nulle part. Je suis prêt à vous certifier qu'il n'a jamais engagé un seul pari dans toute la ville.

Horvarth s'efforçait de fournir son compte rendu sur un ton qui laissait supposer que le résultat de ses recherches était aussi prometteur que l'aurait été la découverte du bookmaker de Hunter.

— Eh bien maintenant, je vais pouvoir commencer à chercher une autre piste. Merci.

— Juste une dernière chose : beaucoup de gens ont déjà vu sa photo.

— Dans les journaux ?

— Non, pas dans les journaux. Quelqu'un a fait la même tournée que moi, on dirait. Quelqu'un qui cherchait Hunter.

— Qui ça ?

— Ce type qui serait lié à la Mafia, peut-être ?

— Apparemment, non. Je pense par contre que la Mafia procède à quelques vérifications. OK, merci encore.

Salter raccrocha et alla se coucher.

◆

Le lendemain, au bureau, il trouva un message lui demandant de rappeler Ranovic. Les résultats obtenus par ce dernier rejoignaient ceux de Horvarth.

— D'après Derek, cette histoire de jeu n'est que de la merde.·

Derek était le maquilleur dont Ranovic avait conduit le camion lors de sa derrière mission d'infiltration.

— Il m'a dit qu'il connaissait Hunter depuis deux ans par le biais de la série télé dans laquelle il a tourné et que si Hunter avait été joueur, il l'avait bien caché. En fait, Derek aime bien jouer un peu à l'occasion et selon lui, les joueurs savent se repérer mutuellement.

— Tout le monde me dit la même chose. Et à la maison, comment ça va ?

— Aux dernières nouvelles, nous allons consulter un conseiller matrimonial. Linda va écrire tout ce qu'elle a sur le cœur : les raisons pour lesquelles elle ne veut pas se marier, les raisons pour lesquelles elle veut un bébé, tout ça, quoi. Et moi, je vais faire la même chose de mon côté. Après ça, le conseiller matrimonial va étudier nos deux dissertations pour voir s'il y a un moyen de s'en sortir.

— Bonne chance.

◆

Au bureau de Connie Spurling, une nouvelle secrétaire trônait derrière la machine à écrire. Au moment où Salter allait se présenter, il lui sembla qu'elle avait déjà les yeux un peu rouges ; Connie Spurling avait d'ailleurs surgi avant qu'il ait le temps de décliner son identité. Il la suivit dans son bureau et en vint directement au fait :

— Nous cherchons d'autres explications au meurtre d'Alec Hunter, lui annonça-t-il. D'après nos renseignements, la raison n'en était pas une dette de jeu.

— Et vers où se dirigent vos recherches ?

— Vers les pistes habituelles. Il ne semble pas qu'il ait eu de parent proche, aussi recherchons-nous ses ennemis. Des maris jaloux, par exemple.

Salter marqua une pause.

— Vous vous trompez, explosa-t-elle. Il s'est fait tuer parce qu'il était dans l'impossibilité de payer. Il est allé à la rencontre de je ne sais pas qui sans l'argent qu'il lui devait. Il m'avait dit qu'il se ferait tuer s'il ne remboursait pas.

— Ce jour-là ?

— Tout le temps. Pas ce jour-là en particulier, bien qu'il me l'ait répété cette fois-là. Mais j'en avais plus qu'assez. Je l'avais prévenu que je ne pourrais ni ne voudrais continuer à casquer comme ça pour lui, que je ne serais pas responsable de ce qui lui arriverait. Et je ne le suis pas. Pourquoi moi ? Pourquoi devrais-je toujours tout assumer ? J'ai assez payé comme ça.

— Alors vous ne lui avez pas donné d'argent cette fois-là.

— Non.

— Pas du tout ?

— Rien. Je sais que j'ai dit le contraire, mais que voulez-vous que je fasse ? Que je vous dise qu'il m'avait demandé mille dollars en me prévenant qu'on le tuerait s'il ne payait pas, mais que j'avais refusé de les lui donner et qu'il s'est fait tuer ? Pas très jolie cette histoire, non ? Et qui aurait su combien de fois j'ai dit oui ? Selon moi, ça ne changeait rien que vous ne sachiez rien sur ce sujet, du moment que vous attrapiez le tueur. Mais si vous cherchez une personne avec qui il se serait disputé parce que vous ne croyez pas à la piste du jeu, vous ne trouverez personne, et toute cette histoire, mon rôle y compris, sera le principal sujet de conversation dans les coulisses pendant des mois. J'entends ça d'ici : « Tu savais que Hunter a été tué par quelqu'un du théâtre ? À mon avis, Connie Spurling l'a surpris en train de baiser avec une autre et elle a payé un gars pour le descendre. Je te parie qu'elle savait où il allait ce soir-là. » C'est pour éviter ça que je vous ai dit que je lui avais donné mille dollars, mais ce n'est pas vrai. Et mon refus l'a condamné.

— Avez-vous dit à quelqu'un d'autre que vous lui aviez donné de l'argent ?

— Bien sûr que non.

— Avez-vous parlé aux autres membres de la troupe depuis sa mort ?

— Je ne suis pas retournée au théâtre.

— Dans ce cas, ils n'ont pas grand-chose à se mettre sous la dent pour spéculer, vous ne croyez pas ? Vous n'avez pas à vous en vouloir : à un moment ou à un autre, vous auriez été à court d'argent. Ce n'était donc qu'une question de temps. OK, il n'avait pas d'argent pour rembourser sa dette. Ça change tout, c'est sûr. Depuis le début, j'étais déconcerté par le fait qu'on l'avait tué alors qu'il avait payé. Les types du genre de ceux avec lesquels nous soupçonnions qu'il traitait prennent généralement les paiements incomplets comme acomptes. Avec mille dollars, ils se tiendraient tranquilles pendant une semaine. Mais ils n'aimeraient pas qu'on sache qu'ils n'ont pas puni un gars qui refusait de payer : votre histoire est donc plus crédible, maintenant.

— Dans ce cas, trouvez le tueur au plus vite et faites taire les rumeurs.

— Pendant que je suis ici, permettez-moi de vous poser quelques questions qui me chicotent, à commencer par ce qu'on m'a dit des projets pour la pièce.

— Quels projets ?

Salter jugea que sa réaction avait l'air authentique – la réaction d'un requin qui flaire l'odeur du sang.

— Le projet de la jouer à Chicago.

Elle hocha la tête, soudain désintéressée par la question.

— C'était notre prochaine étape.

— À vous et à Hunter ?

— Exact.

— Perry Adler semblait en avoir décidé autrement.

— Il aurait fini par changer d'avis.

Elle ne souriait pas, mais une lueur apparut dans son regard, comme si elle anticipait une mise à mort.

— Vous y travailliez, n'est-ce pas, quand Adler est venu vous voir la semaine dernière ?

Connie Spurling le dévisagea. Elle sembla comprendre qu'elle avait été trahie par son ancienne secrétaire, comme le révéla le coup d'œil qu'elle lança en direction du bureau de celle-ci. Salter se promit d'appeler la jeune fille pour lui conseiller de dire qu'on l'avait priée de garder confidentielle la teneur de son interrogatoire.

— J'avais réussi à convaincre les gens de Chicago que la pièce ne marcherait pas sans Alec. Adler menaçait de retirer la pièce de l'affiche, mais il voulait tellement ce contrat qu'il ne serait jamais allé aussi loin, et je le savais. En vingt ans, il avait écrit onze pièces merdiques et, enfin, il en tenait une qui était passable. Il ne l'aurait jamais retirée de l'affiche.

Maintenant, elle souriait pour de bon, laissant apparaître deux rangées de dents pointues.

— Bien. À présent, madame Spurling, parlons un peu de ces mille dollars. Je sais que vous n'en avez parlé à personne, mais désormais, nous sommes au courant et il y a un journaliste qui semble avoir une taupe chez nous. Alors si on vous appelle pour vous poser des questions là-dessus, restez évasive. Ne faites aucun commentaire et raccrochez. Votre réponse sera interprétée comme un « oui », et tout le monde continuera de penser qu'il s'agit d'une histoire de jeu. Comme ça, le coupable, quel qu'il soit, pourra se détendre. Vous voyez où je veux en venir ?

— Bien sûr. Je vous répète que vous vous trompez, mais ça ne me regarde pas. En fait, les gens auront une moins mauvaise opinion de moi.

◆

Salter relata à Peterman tout ce qu'il avait appris de Horvarth, de Ranovic et de Connie Spurling.

— Vous croyez que ça pourrait être Adler ? demanda le sergent. Qu'il aurait pu tuer Hunter pour empêcher Connie Spurling de prendre le contrôle de sa maudite pièce ?

— Ça me semble peu probable. Pourquoi Hunter aurait-il eu besoin d'argent s'il n'avait pas de dette à rembourser ? Et qui est ce type pourvu d'un accent rital et d'une dent en or ? On dirait une mise en scène.

Comme celle de Horvarth, songea Salter.

Il laissa l'idée s'insinuer dans l'esprit de Peterman.

— Ce serait un acteur ? suggéra Peterman. Qui donc ? Et pourquoi ?

— Le mobile pourrait être le sexe, l'argent ou la vengeance, dit Salter. Je pense que le moment est venu de vérifier quelques alibis. Et je vais retourner à Brighton pour voir si par hasard quelque chose ne m'aurait pas échappé. On ne sait jamais : peut-être qu'un acteur avait un bon motif pour tuer Hunter.

— Je ne vois toujours pas les raisons de toute cette mascarade.

— Mais parce que le premier réflexe d'un acteur qui souhaiterait maquiller un meurtre, ce serait de se déguiser. En représentant de la Mafia, par exemple. Nous allons tenter une petite séance d'identification. Je veux que vous emmeniez notre jeune réceptionniste voir la pièce de théâtre pour qu'on sache si l'un des acteurs lui semble familier. Dites-lui de les imaginer tous avec une dent en or et des lunettes noires.

— Vous voulez dire qu'il faut que je me farcisse la pièce encore une fois ?

— Vous en avez manqué la plus grande partie, l'autre soir. Vous allez voir : c'est toute une expérience.

— Seigneur ! Vous voulez que j'assiste à la pièce au complet ?

— Oui, sauf si notre jeune ami identifie un suspect dans les cinq premières minutes.

◆

Salter décida qu'il avait juste le temps d'honorer un autre engagement important dans le domaine du théâtre. *La Main de singe* allait se jouer à l'heure du dîner dans le sous-sol d'un édifice de bureaux d'Adelaide Street.

Salter arriva à temps pour le lever de rideau. Il s'assit au fond de la salle afin d'éviter tout embarras, mais c'était un théâtre minuscule : aussi fut-il extrêmement mal à l'aise pendant les cinq premières minutes de regarder son fils cabotiner en s'exprimant avec un accent cockney exagéré. L'auditoire semblait toutefois plutôt bien disposé et Seth mourut en coulisses assez tôt pour que Salter pût regarder le reste de la pièce en toute sérénité et se joindre aux applaudissements enthousiastes qui saluèrent la chute du rideau. Il se dirigea vers les coulisses, grimpant sur l'estrade et se faufilant par une ouverture pratiquée dans la toile de fond. Il y trouva Seth dans les bras de l'actrice qui jouait le rôle de sa mère dans la pièce : elle avait quinze ans de moins que son rôle et s'en tirait aussi bien que Penny Wicklow dans le rôle de Grand-mère.

Dès qu'il vit son père, Seth se libéra de son étreinte.

— Alors, papa, t'as trouvé ça comment ?

Salter avait fréquenté assez longtemps ce milieu pour en connaître les usages :

— Merveilleux, répondit-il en serrant Seth dans ses bras et en gratifiant d'une poignée de main tous ceux qui se trouvaient dans les parages. Génial, complimenta-t-il le metteur en scène. Fabuleux, lança-t-il en sortant à l'ouvreuse.

Ce soir-là, il dit à Annie au téléphone :

— C'était assez embarrassant, mais je pense qu'il est probablement meilleur acteur qu'il n'était danseur.

CHAPITRE 15

Le lendemain matin, Peterman intercepta Salter avant que celui-ci ne parte pour Brighton.

— Je pensais au câble de châssis à guillotine, lui dit-il. Oui, le câble… Vous savez, la corde qu'a utilisée l'assassin ? Eh bien… où l'aurait-il acheté ?

— Qu'est-ce que ça peut faire ?

— C'est la seule preuve matérielle que le tueur a laissée derrière lui. Notre hypothèse est qu'on l'a garrotté pour qu'on pense que c'est un coup de la Mafia. Pourquoi avec du câble de châssis à guillotine ? Parce que c'est fin et très résistant, et qu'il est facile de s'en procurer. Mais ce n'est pas si répandu que ça. On peut en acheter à la quincaillerie, mais j'ai regardé un peu partout : combien de fenêtres à guillotine reste-t-il dans votre rue ?

— Tout le monde a des doubles vitrages et des moustiquaires, maintenant. J'ai moi-même fait changer toutes mes fenêtres il y a deux ans. J'en avais assez de monter mes contrechâssis du sous-sol chaque année.

— Comme la plupart des gens. Bon. Combien de quincailleries trouve-t-on ici, à Toronto ? Beaucoup, vous êtes d'accord ? Mais si on se limite à la zone située entre Spadina et Avenue Road, de Bloor au sud

à St Clair au nord, combien en reste-t-il ? Pouvez-vous
m'en citer ne serait-ce qu'une ? J'ai étudié les adresses
des acteurs : ils vivent tous, sauf deux, dans l'Annexe,
et n'importe lequel d'entre eux pourrait être le type à
la dent en or. Je me suis donc livré à un petit exercice.
À votre avis, à quel moment un gars qui planifie
d'étrangler quelqu'un le dimanche va-t-il aller acheter une longueur de câble de châssis à guillotine ? Le
samedi, vous ne croyez pas ? C'est ce que je pense. Je
vais donc aller faire une tournée pour voir si je peux
trouver une personne qui a acheté environ un mètre
vingt de câble de châssis à guillotine ce samedi-là.

— Vous pensez que les commerçants s'en sou-
viendront ?

— L'acheteur a peut-être utilisé une carte de crédit.
On peut être un bon acteur sans être nécessairement
très futé, vous ne croyez pas ?

— Bonne chance, alors. Je vous verrai à mon
retour de Brighton.

À part lui, Salter trouvait l'idée de Peterman complètement absurde, et il doutait que Peterman lui-même
y crût vraiment. Cela dit, son escapade à Brighton
s'avérerait peut-être tout aussi futile.

◆

— Comment va votre auto ?

Surpris, le sergent Brock leva les yeux. Comme il
n'avait trouvé personne à l'accueil, Salter s'était
rendu directement au bureau du sergent. Il se tenait
dans le cadre de porte, attendant que celui-ci le re-
connaisse.

— Mais bien sûr. Salter. De Toronto. Bien. Entrez.
C'est vrai, vous étiez là quand cet abruti a embouti
ma voiture.

— Par deux fois, en plus.

— En plus. Venez, regardez par là. Vous voyez cette place de stationnement dans le coin, entourée de barrières? C'est la mienne. Quand je ramènerai mon auto une fois réparée, je pense que même si Hampton enfonce la barrière en reculant à fond, elle ne sera que légèrement égratignée. Eh bien, que puis-je faire pour vous? C'est toujours pour votre affaire du joueur garrotté?

— Pourquoi est-ce que ce gars, là, dehors, plante des piquets de niveau? s'enquit Salter en désignant un ouvrier qui enfonçait des piquets dans le sol à intervalles réguliers.

— Oh, ça? J'ai demandé qu'on refasse le pavage du stationnement. Regardez-moi ça, c'est une vraie honte. C'est plein de nids-de-poule.

— On va vous mettre du nouveau gravier?

— De l'asphalte, rétorqua Brock d'un air impassible.

Salter s'assit.

— Pourrais-je jeter un coup d'œil au dossier de la femme qui s'est suicidée l'année dernière? Vous savez, la costumière.

— Comment s'appelle-t-elle, déjà?

— Mary Mikhail.

Brock tapa le nom sur son clavier d'ordinateur.

— Que voulez-vous savoir?

— Tout.

Le sergent referma son fichier informatique et ouvrit un classeur dont il sortit un mince dossier rouge.

— Voici une copie papier de tout le dossier, dit-il en tendant la chemise cartonnée à Salter.

Salter s'en empara et fouilla du regard la pièce en quête d'un endroit où il pourrait l'ouvrir et le consulter.

— Installez-vous à mon bureau. Il faut que j'aille parler à l'ouvrier, dehors.

Salter lut intégralement le dossier, en commençant par le compte rendu de l'hôpital. Lorsque Mary Mikhail était arrivée à l'urgence, elle ne présentait plus aucun signe vital. Les tentatives de réanimation avaient échoué. L'autopsie n'avait rien révélé, à l'exception de la dose massive de barbituriques qu'elle avait ingurgitée et qui était la cause évidente du décès. Salter attendit que Brock revînt afin de lui demander comment se rendre à la maison où habitait la victime.

— Vous avez détecté quelque chose de louche au sujet de sa mort ?

— Rien qui ait un rapport avec vous. Aucun doute sur le fait qu'elle a pris une énorme dose de barbituriques. Ce qui m'intéresse, c'est de savoir pourquoi.

— Elle était déprimée. C'est ce que dit le dossier. Tous les témoins sont d'accord sur ce point.

— Oui, mais il doit bien y avoir une raison à sa dépression. Merci, en tout cas. Puis-je vous l'emprunter un moment ? demanda-t-il en montrant le dossier. Je suis content pour vous que votre auto soit bientôt réparée. Et le nouveau gravier sera certainement du plus bel effet.

— C'est de l'asphalte. Et c'est très cher. Vous n'avez pas idée de la quantité d'asphalte qu'il faut pour refaire le pavage de toute cette surface.

◆

La maison où logeait Mary Mikhail avait été construite en pierres locales à la fin du XIXe siècle. Elle était située au milieu d'un grand terrain, à deux rues du centre-ville. À l'extérieur, un écriteau annonçait des « chambres à louer ».

La porte était ouverte ; tandis que Salter se demandait s'il devait crier ou frapper sur le chambranle, une voix s'éleva derrière lui :

— L'inspecteur Charlie Salter, de la police de Toronto.

Il se retourna et se trouva face à une femme d'environ quarante-cinq ans, mince, brune, vêtue d'un jean et d'un tee-shirt de coton blanc. Elle avait un déplantoir à la main.

— Je suis Nicole Verdun. Venez à l'arrière avec moi. Nous pourrons parler pendant que je finis de m'occuper de ce massif.

Salter regarda alentour et se rendit compte qu'il avait affaire à une adepte du jardinage. Il y avait des fleurs partout – des grandes contre la maison et des petites dans des massifs répartis autour du bouleau argenté qui trônait au milieu du gazon. Aux alentours de la maison, le sol était parfaitement entretenu.

Derrière la maison se trouvaient un patio dallé, encore des fleurs et ce qui semblait être un jardin potager, tout au fond. Madame Verdun lui indiqua un fauteuil de jardin et s'affaira sur une platebande, où elle mettait en terre une rangée de plants.

— Je vais vous faire du thé dans une minute, dès que j'aurai fini ça.

Elle s'agenouilla et entreprit de farfouiller dans la terre.

— Il a l'air très friable, observa Salter.

— Quoi donc ?

— Le sol. Friable. J'ai lu ce mot des centaines de fois, mais c'est la première fois que j'ai l'occasion de le prononcer.

— Et c'est bien, un sol friable ?

— Je crois que oui. Ça n'a jamais l'air péjoratif.

— Friable, répéta-t-elle avant de se remettre au travail.

— Comment avez-vous su qui j'étais ? lui demanda Salter.

— Toute la ville sait qui vous êtes. J'ai reçu deux appels téléphoniques vous concernant, et je m'attendais un peu à vous voir arriver. Voilà !

Elle se leva. Elle passa la main sur le devant de son tee-shirt pour en enlever la terre, ce qui eut pour effet de produire une énorme tache.

— Maintenant, je vais le faire, ce thé.

— Pas pour moi, merci.

— Dans ce cas, je vais en préparer pour moi et vous, vous n'aurez qu'à me regarder faire.

Elle lui parlait comme si Salter avait été un vieil ami dont elle savait qu'il ne risquait pas de se vexer.

— Vous jardinez ? s'enquit-elle.

— Je tonds le gazon.

— Je m'apprêtais à vous suggérer de faire le tour pour admirer mes plantations, mais vous n'avez qu'à rester assis ici pendant que je vais me préparer mon thé.

Elle rentra dans la maison, d'où elle ressortit peu de temps après, une tasse de thé à la main. Elle s'attabla en face de Salter.

— Que voulez-vous savoir ?

— Parlez-moi de Mary Mikhail.

Elle hocha légèrement la tête d'un air entendu.

— Pourquoi s'est-elle suicidée ? s'informa Salter.

— D'après le coroner… commença-t-elle.

— Je sais ce que le coroner a déclaré. Mais vous, qu'en pensez-vous ?

Salter avait décidé de faire confiance à cette femme à l'accent new-yorkais qui semblait si parfaitement à l'aise en toutes circonstances, à tel point qu'elle n'était pas le moins du monde perturbée par l'apparition d'un policier sur son gazon.

— J'ai eu tout le temps d'y réfléchir depuis que c'est arrivé et nous avons additionné un certain nombre d'observations, lâcha-t-elle.

Elle but une ou deux gorgées de thé et sortit une cigarette d'un paquet posé sur la table. Deux de ses doigts étaient légèrement jaunis par le tabac.

— Elle sortait souvent en voiture l'après-midi. Comme c'est toujours le cas à la campagne, les gens la voyaient et s'en rendaient compte mutuellement. La zone de mémérage s'étend sur dix kilomètres à la ronde, bien qu'on puisse capter certaines ondes au-delà. Quand elle est morte, sa photo a été publiée dans les journaux. En additionnant tout ce que je savais, j'en suis parvenue à la conclusion pas tellement surprenante que Mary s'était fait plaquer.

— Par qui ?

— Encore une fois, il s'agit d'un de ces trucs que nous savons d'instinct, nous autres, à la campagne. Vous voyez, je le sais, mais j'ignore comment je le sais.

Elle avait sorti toute cette tirade en se balançant de manière exagérée dans son fauteuil pour accompagner sa parodie de parler rural.

— Alors, par qui ?

— Alec Hunter.

Salter accepta le cadeau qu'elle lui offrait en disant cela mais le mit de côté pour le moment.

— Qui aviez-vous comme locataires quand Mary Mikhail est morte ?

— Tous ceux de la troupe : Mary, Penny Wicklow, Sonia Lewis et Bill Turgeon. Ils logeaient tous chez moi pour l'été.

— Et Hunter ?

— Non, pas lui. Il aurait bien voulu, mais je lui ai conseillé de se trouver un endroit plus discret.

— Vous avez un règlement strict ?

Salter était surpris : ça n'avait pas l'air d'être son genre.

— Oui, en ce qui concerne le bruit, le tapage et le remue-ménage général. Je me fous de savoir qui couche avec qui, mais je ne veux pas que ce soit chez moi, parce que ça finit toujours en disputes à trois heures du matin, surtout avec les acteurs, ce qui inclut bien évidemment les actrices, et je n'ai pas besoin de ça. Je suis venue ici pour m'éloigner de la vie de fou que je menais et pour trouver un peu de sérénité, et j'ai bien l'intention d'y parvenir.

— D'où êtes-vous?

— De Manhattan. J'avais une agence de voyages, et j'ai décidé que toute cette agitation était devenue trop intense pour moi. Ne vous méprenez pas: j'adore New York, mais y habiter fait vieillir avant l'âge, alors un beau jour, j'ai bouclé mes valises et je me suis mise en quête d'un endroit où je pouvais jardiner et lire. Et j'ai atterri ici. C'était idéal, parce que j'aime aussi la pêche et le théâtre: je peux donc aller sur la Niagara et, avec un petit effort, à Stratford. Je peux aussi me rendre à Toronto, mais la vie y est si chère que j'évite plutôt. En hiver, je vais en Europe.

— En hiver?

— C'est la meilleure période. Mais assez parlé de moi: que voulez-vous savoir d'autre?

— Tout ce que vous pourrez m'apprendre sur vos autres locataires. Selon le rapport de police, Mary Mikhail était maniaco-dépressive.

— C'est faux. Tout le monde a dit ça parce qu'elle a été bouleversée pendant quelque temps avant son décès. Je vous en ai donné la raison.

— Que faisait-elle de son temps libre?

— Quand elle ne se baladait pas dans la campagne en auto, vous voulez dire? La plupart du temps, elle travaillait ou restait assise là où vous êtes, à lire.

— Était-elle proche des autres résidents de la maison?

— Ils s'entendaient tous bien. Penny Wicklow avait un petit ami, bien sûr, ce Matera. Et je crois – non : je sais – que Matera et Mary entretenaient une liaison au début de l'été. Plus que ça : je suis presque sûre que Mary l'a laissé tomber et que Penny l'a récupéré. Quant à Sonia, elle est plutôt casanière. Elle m'aidait beaucoup à la maison.

— Et Bill Turgeon ?

— Il allait et venait. Il ne se joignait pas souvent à nous après la représentation.

— Vous vous réunissiez tous les soirs ?

— Laissez-moi vous expliquer le fonctionnement de cette maison. J'aime la compagnie, vous voyez, et je ne peux pas vraiment me permettre d'entretenir cette maison sans un revenu minimum. C'est pourquoi j'ai décidé d'ouvrir un gîte touristique. Tout était parfait, ça marchait très bien, mais c'était un vrai fil à la patte, et de toute façon, on m'a obligée à fermer.

— Qui ça ?

— Le conseil municipal. J'étais la première à ouvrir ce genre d'établissement, et j'ai été suivie par deux ou trois autres. Mais un jour, le conseil municipal a fait voter un règlement interdisant les gîtes touristiques dans les zones résidentielles, ce qui était notre cas à tous.

— Pourquoi a-t-il fait ça ?

— On a dit que les voisins s'étaient plaints, et ça avait l'air plausible, mais la vraie raison, c'est que trois des conseillers municipaux possèdent un motel.

— Vous avez toujours votre écriteau.

— Vous vous trompez : j'annonce seulement des chambres. Ça peut vouloir dire n'importe quoi, mais quoi qu'il en soit, leur règlement parle explicitement de « gîtes touristiques ». J'ai engagé un avocat pour qu'il botte les fesses à ces bâtards, mais il m'a dit que ces salauds se dépêcheraient d'adopter un règlement à l'encontre des pancartes. Pour moi, c'est surtout une question de principe pour moi, finalement, parce que depuis, j'ai fait savoir auprès des gens qui gravitent autour du théâtre que j'avais quelques chambres pour l'été, et j'ai affiché complet dès qu'ils les ont vues. La seule règle à respecter, c'est que je ne veux ni voir ni entendre d'activités sexuelles. Ça a l'air un peu vieillot pour notre époque, je sais, mais je l'assume. En échange, toute la maison est à eux, y compris le salon, où nous nous retrouvons tous après la représentation, juste avant d'aller nous coucher. Je cuisine – et je me débrouille bien –, et ils peuvent inviter des amis à souper. Pas au petit déjeuner, par contre. Quant au prix, il est vraiment avantageux pour mes pensionnaires. Pour moi aussi, d'ailleurs. Au bout de deux ou trois semaines, ils ne me voient plus que comme une cuisinière et une sorte de matrone qu'ils aident un peu au besoin, et je peux même m'absenter quelques jours en les laissant se débrouiller à la maison. Toutes mes chambres sont occupées pendant l'été, et dès que mes hôtes arrivent, j'enlève ma pancarte.

— Le thé est-il encore chaud ? J'en prendrais bien un peu, maintenant.

Elle alla lui chercher une tasse de thé. Lorsqu'elle la lui donna, Salter confia :

— Pour être franc avec vous, je ne m'intéresse pas vraiment à Mary Mikhail. J'enquête sur une autre affaire.

— C'est ce qu'on m'a dit. Alec Hunter. C'est pour ça que je vous ai rapporté les rumeurs, mais outre celles-ci, je le connaissais à peine. Je suis contente de ne pas l'avoir eu comme pensionnaire parce que je ne l'aimais pas beaucoup, pour le peu que je l'ai vu. Il est venu ici une ou deux fois pour voir Bill, mais je crois qu'il avait un appartement en ville.

— À votre connaissance, il n'avait donc pas d'aventure avec l'une de vos… dames ?

— Non, mais il avait à l'époque une petite amie permanente, et de toute façon, je n'en aurais rien su. Les règles de ma maison l'auraient empêché de venir se livrer à une partie de jambes en l'air chez moi. (Elle posa sa tasse vide sur la table.) En tout cas, certainement pas avec Sonia. Elle avait ce qu'elle appelait une « relation » avec un garçon qu'elle avait rencontré quand elle était serveuse à Toronto. Elle passait la plus grande partie de son temps à la maison pour le cas où il appellerait. La note de téléphone était épouvantable, mais je lui en déduisais une certaine part parce qu'elle m'aidait beaucoup entre deux coups de fil. Et la seule autre possibilité, c'est Penny Wicklow. (Elle se leva pour signifier que l'entretien était terminé.) Vous voulez voir la scène du crime ?

Salter comprit que le lien entre Mary Mikhail et Alec Hunter était de notoriété publique dans le coin, ce qu'il acceptait volontiers, mais il ne voulait pas prêter l'oreille à d'autres potins sans fondements. Il suivit madame Verdun dans la maison, qui était conforme à ses attentes : confortable, chaleureuse, intime – un endroit où il ferait bon passer l'été. Elle le guida vers l'escalier jusqu'à un large palier sur lequel donnaient les chambres. Toutes les portes étaient ouvertes, et tout l'étage était empli des senteurs qui montaient du jardin.

— Voici la chambre de Mary.

C'était une chambre où il devait être agréable de passer du temps. On remarquait le lit, le plancher lustré recouvert de quelques petits tapis, un fauteuil confortable orienté de manière à ce que le lecteur qui s'y serait installé pût regarder le jardin par la fenêtre, une bibliothèque presque pleine, une coiffeuse surmontée d'un miroir éclairé, un bureau et une chaise. On eût dit la chambre d'amis d'une maison privée.

— Très joli, commenta Salter. Combien faites-vous payer vos pensionnaires ?

Elle sourit.

— Quarante dollars la nuit, moins s'ils restent pour une semaine, mais les disponibilités sont rares. Il n'y a qu'une seule salle de bains : cela dit, chaque chambre est pourvue d'un bon miroir, et les pensionnaires peuvent apporter leur sèche-cheveux. Par contre, les toilettes sont séparées et ils peuvent utiliser les miennes s'ils le souhaitent. Ma chambre est en bas ; elle donne sur l'arrière.

— Étiez-vous chez vous quand c'est arrivé ?

— Je faisais une sieste dans mes quartiers privés au rez-de-chaussée quand j'ai entendu tout un vacarme. Par la suite, je me suis rappelé que j'avais entendu Penny puis Sonia hurler, ainsi que des cavalcades dans le hall et dans l'escalier. Le temps que j'enfile un peignoir, Penny était au téléphone et j'entendais Sonia qui faisait une crise de nerfs. Je suis montée : Bill était planté devant la chambre de Mary et Sonia était toujours hystérique. Bill m'a annoncé que Mary était morte et m'a demandé de m'occuper de Sonia, ce que j'ai fait. L'ambulance est arrivée quelques minutes après. Je pense qu'on a tenté de la ranimer, mais c'était trop tard. Nous avons suivi l'ambulance jusqu'à l'hôpital dans ma voiture.

— Vous avez laissé Sonia Lewis ici ?

— Non. Nous sommes tous partis derrière l'ambulance. Lorsque le décès de Mary a été confirmé, nous sommes rentrés et j'ai fait du thé. C'est la seule chose qui m'est passée par la tête.

— Donc, sauf erreur de ma part, les deux femmes ont trouvé Mary, puis Bill Turgeon a entendu du bruit et il est venu donner un coup de main. Après quoi Penny Wicklow a appelé une ambulance, puis vous êtes apparue. C'est bien ça ?

— Oui, c'est comme ça que ça s'est passé. Pourquoi ?

— Je l'ignore. Il y a un détail qui ne colle pas dans le rapport de police. Dans quelles chambres logeaient les autres ?

Ils parcoururent le palier et madame Verdun lui indiqua les pièces.

— De l'autre côté du couloir, c'était celle de Penny. Celle-ci était à Sonia, et celle qu'occupait Bill donne sur la façade. C'est la plus éloignée de la salle de bains, mais ce petit inconvénient mis à part, c'est la meilleure chambre.

Chacune des trois autres était meublée différemment, mais le confort était le même.

— Les chambres fermaient-elles à clé ?

— Non. Par contre, j'ai mis de bons verrous sur les placards et sur les tiroirs des bureaux. Je n'ai jamais eu de problèmes, et chacun laisse le libre accès à sa chambre quand il n'est pas à la maison. Il arrive que l'un d'entre eux appelle depuis le théâtre pour demander qu'on lui apporte quelque chose qu'il a oublié. J'explique tout ça en détail à chaque pensionnaire avant son arrivée, et ceux qui veulent barricader leur porte sont libres d'aller loger ailleurs. Cela dit, je barre la porte d'entrée et chaque pensionnaire a une clé.

La visite étant terminée, elle le précéda dans l'escalier.

— Qu'avez-vous fait des affaires de Mary Mikhail ? demanda Salter quand ils furent dans le hall.

— Dès que la police en a eu terminé, je les ai rangées dans ses valises et remisées au sous-sol en attendant que quelqu'un vienne les prendre. Sa mère est invalide. Elle vit à Victoria. Mais sa sœur, qui vit en Angleterre, prévoit venir en visite au Canada, et elle m'a promis de s'en occuper à ce moment-là. Elles sont toujours dans le sous-sol.

— Puis-je y jeter un coup d'œil ?

— Je pense que oui.

Les effets personnels de Mary Mikhail tenaient dans deux valises et une petite mallette de toilette. Salter fouilla dans les valises et déplaça délicatement le contenu de la mallette de toilette du bout du doigt.

— Que cherchez-vous ?

— Les médicaments qu'elle a pris. Où est le flacon ? Vous rappelez-vous l'avoir vu ?

— Il était probablement vide. J'ai dû le jeter.

— Vraiment ?

Elle eut un air surpris, puis hocha la tête lentement.

— En fait, sans doute que non. C'est trop important, n'est-ce pas ? J'ai dû le donner à la police. Non, répéta-t-elle avec davantage d'assurance. Je n'ai pas trouvé de flacon.

— Qui a nettoyé la chambre ?

— C'est moi. Je le fais généralement si j'en ai le temps, et j'en profite pour aller pêcher les pièces de monnaie qui ont roulé sous le lit. En fait, j'ai une femme de ménage qui vient deux fois par semaine pour les travaux légers – je déteste frotter, épousseter et faire l'argenterie –, mais je m'occupe habituellement des chambres moi-même. Dans ce cas-ci, ça me paraissait important parce que la situation était délicate. On ne sait jamais ce que les gens pourraient cacher – je retrouve parfois de drôles de trucs derrière mes pensionnaires – et Mary aurait pu ne pas prendre le temps de tout nettoyer et ranger avant d'avaler ses pilules. Mais je n'ai rien découvert, pas même une lettre d'amour. Je ne vous ai pas été très utile, hein ? Et je ne connaissais même pas Hunter assez bien pour le reconnaître dans la rue.

◆

En quittant la résidence de madame Verdun, Salter tourna un peu dans le village jusqu'à ce qu'il trouvât la caserne des pompiers. Comme il s'y attendait, le poste d'ambulances était situé juste derrière.

Il n'eut aucun mal à rencontrer le préposé qui était intervenu lors du suicide de Mary Mikhail. C'était l'une des missions les plus intéressantes de l'été précédent – l'essentiel de son travail était dû à des accidents sur l'autoroute – et il se rappelait tous les détails avec clarté.

— On a reçu un appel au 911, expliqua-t-il. Quand on est arrivés, une femme nous attendait, paniquée, et un type montait la garde devant la chambre. La femme nous a dit qu'elle avait trouvé la victime quelques minutes auparavant. La police avait noté le nom de tout le monde.

— Avez-vous tenté de la ranimer?

— Ce qu'il fallait, en l'occurrence, c'était lui pomper le contenu de l'estomac, mais il était trop tard. Elle était gavée de somnifères.

— Comment l'avez-vous su?

Le préposé fouilla dans sa mémoire.

— On le savait, ça c'est sûr, parce que je me souviens que je l'ai mentionné à notre arrivée à l'hôpital pour qu'on puisse lui faire un lavage d'estomac. (Il réfléchit encore.) Et nous n'avons pas cherché les médicaments, ce que nous faisons normalement. Vous voyez, quand on arrive à l'hôpital, les victimes ont de meilleures chances d'être sauvées si on est en mesure de dire à l'équipe médicale ce qu'elles ont ingurgité, alors on jette toujours un coup d'œil à côté de la victime pour déterminer la cause. Mais je ne me rappelle pas avoir vu quoi que ce soit. Non. En fait, je crois que c'est l'une des femmes qui nous l'a dit.

— Vous n'avez trouvé aucun contenant? aucun flacon de médicaments?

— Je ne crois pas. Non. L'une des femmes nous a parlé de barbituriques, et nous l'avons crue sur parole.

De retour dans son auto, Salter compulsa de nouveau le rapport de police. Conformément à son souvenir, il n'y figurait aucune mention de la découverte d'une lettre d'adieu ni d'un flacon de pilules, mais après avoir interrogé les trois personnes présentes sur les lieux, l'enquêteur avait indiqué que depuis quelque temps, Mary Mikhail avait eu un comportement tantôt dépressif, tantôt excité. En lieu et place d'une lettre quelconque, le coroner avait accepté comme preuve de son état d'esprit un formulaire de testament qui se trouvait sur la petite table basse.

Salter décida d'aller faire un tour dans les pharmacies. Brighton en comptait deux, et dans aucune des deux on ne put lui fournir le nom du médecin qui avait prescrit le médicament, parce qu'aucun des pharmaciens n'avait exécuté d'ordonnance prescrivant des barbituriques à Mary Mikhail l'été précédent. Dans son petit carnet, Salter inscrivit une note pour se rappeler d'essayer de trouver le nom du médecin de Mary Mikhail à Toronto.

À partir de ce moment-là, il se mit à échafauder des hypothèses. Il retourna dans les deux pharmacies, où il apprit que Hunter avait fait exécuter une ordonnance pour du Zephyr, une autre sorte de sédatif, la semaine avant la mort de Mary Mikhail. Un appel au médecin torontois qui avait autorisé l'ordonnance lui apprit que l'acteur consommait des barbituriques depuis des années, mais qu'il s'était plaint des effets secondaires, de sorte que son médecin lui avait prescrit du Zephyr en remplacement quelques mois plus tôt.

Salter retourna au poste de police. Il n'avait aucune autorité pour présenter la requête qu'il s'apprêtait à faire, mais il se dit que Brock pouvait sans doute obtenir le renseignement en question.

— Vous connaissez les propriétaires des deux pharmacies ? lui demanda-t-il.

— Bien sûr.

— Ce n'est qu'un détail, mais pourriez-vous leur demander pour moi si l'une de ces personnes s'est procuré des barbituriques l'été dernier ?

— Pourquoi ne leur demandez-vous pas vous-même ?

— Quand je suis retourné les voir, ils commençaient à se refermer comme des huîtres. Sans doute avaient-ils peur de déroger à leur code de déontologie. Ils m'en ont déjà appris beaucoup.

Brock prit son téléphone et composa le numéro de chacun des pharmaciens, qu'il appelait par leur prénom.

Pendant qu'ils attendaient le retour d'appel, Salter poursuivit :

— Qui était le coroner chargé de l'enquête sur le suicide de Mary Mikhail ? Le connaissez-vous ?

— Un peu. Il fuit les problèmes, ce qui me convient parfaitement.

— Comment réagirait-il s'il s'avérait qu'un autre médecin a fait preuve de négligence ?

— Il ne voudrait pas le croire, mais il obéirait aux règles. Il serait plus enclin à donner un verdict de mort accidentelle que de suicide, pour épargner la famille. Mais dans un cas comme celui-ci, c'était plutôt clair.

Le téléphone sonna : Brock décrocha, écouta brièvement, remercia son interlocuteur puis reposa le combiné.

— Penny Wicklow, révéla-t-il. Elle s'était procuré des barbituriques juste avant la mort de Mikhail. Bon, vous allez rouvrir le dossier, c'est ça ?

— Je vous appellerai si jamais ça vous touche. Quoi qu'il en soit, vous avez fait votre travail.

Brock haussa les épaules.

— Informez-moi s'il y a du nouveau, quel qu'il soit, d'accord ? Au moins, elle n'était pas du coin.

◆

Salter avait une dernière visite à effectuer. Vingt minutes plus tard, il s'arrêtait devant le Pioneer Motel.

Le propriétaire se souvenait de lui.

— Vous avez besoin d'une chambre ? demanda-t-il en lui adressant un clin d'œil. Oh, non, je vois qu'elle n'est pas avec vous aujourd'hui. En tout cas, revenez n'importe quand, et je vous accorderai un prix d'ami.

— Vous vous rappelez le gars sur lequel j'enquêtais ?

— Henry Irving ? Il est venu ici sept fois en tout et pour tout.

— Quand était-ce, la dernière fois ?

— Le quatorze août, répondit l'homme en gloussant. J'ai pensé que vous reviendriez, alors j'ai mené ma petite enquête. Voici toutes les fiches d'inscription. Vous voyez ? Il est venu deux fois par semaine pendant quatre semaines, sauf la dernière. Et après, plus rien.

Salter s'empara des fiches.

— Je vais vous donner un reçu pour ces fiches et je vous les rapporterai quand j'aurai fini.

CHAPITRE 16

Peterman attendait dans son bureau la visite de Salter. Il écouta attentivement le récit de ce dernier.

— Et donc, quand la petite amie de Matera est morte, il avait déjà une liaison avec Wicklow, qui avait entraîné la fin de celle qu'il y avait entre Wicklow et Hunter ?

— Ça ressemble à ça.

— Vous pensez que Matera savait que Hunter baisait avec Wicklow ?

— À l'époque, je ne crois pas. Mais si c'est vrai, je croirais que Matera ne le sait toujours pas. Personne d'autre n'est au courant. À mon avis, Wicklow ne lui en dirait pas plus qu'il ne pourrait en supporter.

— Cela nous aide-t-il dans notre enquête ?

— Peut-être. Vous avez emmené le gamin voir la pièce de théâtre hier soir ?

— C'est à ce sujet que je voulais vous voir. J'irais ce soir s'il le fallait absolument, mais je me demandais si on pouvait reporter à demain.

— Quelle différence cela fait-il ? La pièce sera la même.

Peterman avait l'air embarrassé.

— Ce n'est pas ça. J'ai un engagement plutôt important ce soir.

— Si important que ça? demanda Salter, attendant que Peterman élabore un peu. Comme rien ne venait, il continua : Si c'est pour aller voir un conseiller matrimonial, j'imagine que la pièce peut bien attendre jusqu'à demain, même si c'est un peu loin.

Peterman hocha la tête sans prendre la perche que Salter lui tendait. Au moment où ce dernier sortait de son bureau, il empoignait son téléphone.

Quelques minutes plus tard, au moment où Salter s'apprêtait à rentrer chez lui, Peterman apparut dans l'encadrement de sa porte.

— Le gamin ne peut pas demain, ni après-demain, ni la semaine prochaine. Il faut impérativement que ce soit ce soir. Il a un nouvel emploi.

— C'est vraiment dommage.

— Et moi, je ne suis vraiment pas disponible ce soir.

Salter ressentit le besoin de transmettre à Peterman son inquiétude récemment acquise, causée par le sentiment qu'il s'était trop longtemps reposé sur l'hypothèse que le meurtre était le résultat d'une querelle de voyous et qu'il aurait dû explorer d'autres pistes bien plus tôt.

— Vous n'êtes pas disponible, hein? Nous pourchassons un criminel, je vous rappelle. Vous allez jouer aux quilles?

— Non!

— Je donne ma langue au chat, alors.

— OK, OK. Je vais danser.

Salter posa les mains sur son bureau et attendit la suite.

Peterman s'assit en affectant un air dégagé.

— Danse sociale, expliqua-t-il. Ce soir, nous participons à la demi-finale d'une compétition.

— Vous dansez le fox-trot, des trucs comme ça?

— C'est une compétition de danse latino-américaine. Nous sommes arrivés directement en demi-finale.

Génial. Peterman était dans ses petits souliers, et Salter n'avait plus aucun doute sur l'importance de l'événement. Pas de panique, cependant: il pouvait aller lui-même revoir la pièce avec le jeune réceptionniste. Mais avant de libérer Peterman, il se sentit autorisé à s'amuser un peu:

— Vous avez de gros numéros accrochés dans le dos, comme on voit à la télévision? Sur quelle chaîne dois-je vous regarder?

— Seules les finales passent à la télévision.

— Vous êtes déjà arrivés aussi loin dans une compétition?

— Notre meilleure performance à ce jour, c'était troisième en valse viennoise, répondit Peterman en se tortillant sur sa chaise. Je n'en parle jamais ici. Aux Homicides, personne d'autre que moi ne danse.

— Vous n'en savez rien. Peut-être gardent-ils tous le secret, comme vous, rétorqua Salter en riant. OK. Ma femme n'est pas là en ce moment. Je peux y aller. Où deviez-vous retrouver le gamin?

Peterman avait désormais l'air aussi coupable que gêné.

— Devant le théâtre. Vers dix heures trente.

— Après la représentation?

— Je ne voyais pas l'intérêt de revoir la pièce.

— Je vais aller à sa rencontre. Quant à vous, vous feriez mieux de rentrer chez vous pour vous échauffer dans votre salon. (Salter imagina Peterman virevolter sur ses jambes courtes dans une salle de danse.) Bonne chance. Et vous pouvez compter sur ma discrétion.

— Merci.

Tandis qu'il s'éloignait, Salter entendit Peterman fredonner une chansonnette:

— *Hoor-ah, hoor-ay, my wife's on hol-i-day…*

◆

Salter estima que la pièce était assez bonne pour justifier qu'il la vît une deuxième fois, mais il décida d'attendre le retour d'Annie, qui le harcelait sans répit pour qu'il l'emmenât à des spectacles comme celui-ci. Il arriva donc une bonne heure avant la représentation pour acheter un seul billet qu'il laissa à l'intention du réceptionniste, puis entra dans le théâtre vide. Dans la nacelle située au-dessus de la dernière rangée de sièges, l'éclairagiste se préparait déjà. Salter se rappela qu'il ne lui avait pas encore parlé, aussi décida-t-il d'en profiter pour le rayer de sa liste.

— Je suis étudiant de troisième année à Ryerson, lui expliqua le garçon après que Salter se fut présenté. Je ne connais pas vraiment les gens de la troupe, l'équipe technique mise à part.

— Avez-vous déjà rencontré Hunter ?

— Non, mais je l'ai souvent vu à l'œuvre. Comme la fois de cette fameuse rebuffade.

— Quand était-ce ?

— Le soir où il essayait encore de tripoter Penny Wicklow.

— J'en ai entendu parler. Elle a protesté plutôt bruyamment.

— Elle a crié : « Ôte tes sales pattes de mon cul ! » Les témoins en ont été estomaqués.

— Les témoins ?

— À mon avis, le spectacle était pour eux. Hunter tournait le dos à la scène et ne pouvait pas les voir. Quand il a commencé à lui caresser lascivement les fesses, elle a bondi et l'a repoussé.

Le jeune homme eut un sourire grivois. Salter se demanda s'il n'avait pas acquis sa syntaxe et son vocabulaire à force de regarder des pièces de Noel Coward et de Sacha Guitry. Il devait peut-être s'attendre à entendre un jour Seth parler de cette façon.

— C'est quand elle a vu les autres qu'elle a fait son petit numéro, poursuivit l'éclairagiste. À mon avis, elle jouait la comédie.

— Que s'est-il passé, exactement ?

— Penny et Hunter étaient juste ici, en bas. Il lui a mis la main aux fesses. Ensuite, Matera et quelques autres sont arrivés sur la scène depuis l'autre côté, elle les a vus et c'est là qu'elle a crié.

— Vous voyez pas mal de choses depuis votre poste de travail, non ?

— Je vois tout. Cela dit, cette scène-là était la plus intéressante. Bon. Il faut que je me remette au travail. Je dois vérifier tous les éclairages.

De la salle montaient des voix. Salter regarda l'heure : il restait un peu moins d'une heure avant le lever du rideau.

— Ça doit être Bill, dit l'éclairagiste. Bill Turgeon, le régisseur.

Salter redescendit dans la salle et se dirigea vers les voix, en coulisses. Il y trouva Turgeon, une liste à la main, en train de vérifier les accessoires.

— Je vous ai vu parler avec Gerry, là-haut, affirma Turgeon. Vous êtes toujours à la recherche du gars qui a tué Alec ?

— Vous avez le temps de boire un café ?

— Non, désolé. J'ai trop à faire. Nous pouvons parler maintenant, pendant que je vérifie cette liste.

— Je suis allé effectuer quelques recherches à Brighton cet après-midi. J'ai mené ma petite enquête dans la maison où vous logiez tous.

— Pour quoi faire ? Alec n'habitait pas là-bas.

— Je le sais. J'étais juste curieux d'en savoir plus sur cette fille qui y est morte.

— Mary ? Ah ouais. Plutôt moche, cette histoire.

— Vous la connaissiez bien ?

— Pas tant que ça.

— C'est vous qui l'avez trouvée ?

— Moi ? Non. C'est Penny Wicklow. J'étais dans ma chambre quand je l'ai entendue hurler. Je suis sorti sur le palier et j'ai demandé à Penny d'appeler une ambulance. L'autre, Sonia, n'était bonne à rien. Elle était en pleine crise de nerfs. Je ne suis même pas entré dans la chambre. Je me suis contenté de rester devant la porte pour être sûr que personne d'autre n'entrerait avant l'arrivée des secours.

— Et l'autre fille ?

— Elle est retournée dans sa chambre. Je lui ai conseillé de rester à l'écart pour ne pas gêner les secours.

— Vous étiez sûr que Mary Mikhail était morte, j'imagine.

— Je ne me suis pas approché d'elle, mais j'avais compris ce qui s'était passé.

— Vous êtes-vous demandé la raison de son geste ?

— Nous l'avons tous fait. Elle était déprimée, à ce qu'on dit.

— À votre connaissance, y avait-il un homme dans sa vie ?

Turgeon réfléchit à la question quelques instants.

— En fait, elle avait été avec Johnny Matera, mais ils avaient rompu. Je suppose que ça a quelque chose à voir avec sa dépression.

— Quelqu'un d'autre ?

— Pas que je sache.

— Et Hunter ?

Turgeon hocha la tête d'un air entendu : il s'attendait à ce que ce nom fût mentionné.

— C'est possible, mais je ne sais pas où il aurait pu trouver le temps pour la voir ! Il allait à Fort Erie dès qu'il en avait l'occasion.

— Seul ?

— C'est ce qu'il affirmait.

— Dites plutôt que c'est ce qu'il vous demandait de raconter à Connie Spurling. Mais maintenant, il est mort, et je ne suis pas Connie Spurling. Que faisait-il, en réalité ?

Turgeon lança un regard contrit à Salter.

— Vous connaissez certainement déjà la réponse à cette question. D'accord. Je le couvrais. Il a quand même perdu beaucoup d'argent au jeu.

— Qui voyait-il ?

— Mary Mikhail, entre autres.

— Qui d'autre ?

— Je l'ignore, mais il y en avait effectivement une autre.

— C'était vraiment un cas, hein ? Finalement, c'est surprenant qu'il ne se soit pas fait assassiner plus tôt.

— Ce n'était pas un méchant gars, juste un Don Juan compulsif. Chez lui, c'était pathologique.

Turgeon faisait preuve de pondération dans ses réponses ; il se servait de sa vérification des accessoires comme d'un prétexte pour se donner le temps de réfléchir avant de parler. Salter s'efforça de trouver un moyen de le pousser à être spontané. C'était peut-être ridicule dans les circonstances, mais ça valait la peine d'essayer.

— Comment êtes-vous devenus si bons copains, Hunter et vous ?

Turgeon eut un sourire.

— Je vous l'ai dit, nous n'étions pas si copains que ça. Je lui ai rendu quelques services, et il m'en a rendu un.

— Quel genre de services ?

— Je vous l'ai déjà raconté, ça aussi. Je le couvrais vis-à-vis de Spurling. Et je lui ai prêté de l'argent.

— Et lui, comment vous a-t-il aidé?

— Il m'a fait obtenir ce poste. C'est le genre de boulot pour lequel il faut connaître quelqu'un dans la place. Je n'ai aucune formation sauf celle que j'ai reçue sur le tas à Brighton, et j'avais eu le boulot par hasard. Je logeais chez madame Verdun et je cherchais un emploi. La troupe avait commencé ses représentations, et elle avait besoin d'un gars un peu bricoleur en coulisses. Je suis plutôt habile de mes mains, et je peux accomplir n'importe quel boulot manuel. J'avais pris goût à ce travail, et j'avais demandé à Hunter ce que je pourrais bien faire après le départ de la troupe, et il m'a aidé à avoir ce travail, ici.

— En échange de quelques alibis?

— C'était donnant-donnant, j'imagine, oui.

— Vous partez à Chicago?

— J'attends de le savoir. Ça aurait sûrement été le cas si Hunter ne s'était pas fait tuer.

— Vous ne le fréquentiez pas en dehors du travail, c'est bien ça?

— En dehors de la scène, il ne voyait que Connie Spurling.

— Savez-vous comment il occupait son temps libre, quand il ne la voyait pas non plus, elle?

— Il jouait.

Salter se leva.

— OK. Je vous souhaite une bonne continuation, même sans votre protecteur. Que va-t-il se passer si vous ne partez pas à Chicago? Comment allez-vous survivre en attendant de retourner travailler pour l'été à Brighton?

— Je suis un homme à tout faire, et c'est pour ça que j'ai eu ce travail. J'ai bricolé deux ou trois trucs pour eux, et on m'a demandé de travailler à temps plein pendant l'été. Ça m'a plu et j'ai beaucoup aimé travailler avec la compagnie. Je vais essayer de rester dans le domaine du théâtre.

— Je ne doute pas que vous réussirez. Ah, encore une petite chose. Quelqu'un est-il resté dans la maison pendant qu'on emmenait Mary Mikhail à l'hôpital ?

— Pas que je me souvienne, non.

— Et la fille qui a fait une crise de nerfs ?

— Elle est venue avec nous.

— Et après, tout le monde est rentré à la maison ?

— C'est exact.

— Et après ? Quelqu'un est-il monté à la chambre de Mary ?

Turgeon eut l'air pensif.

— Difficile de se rappeler. À vrai dire, je ne m'en souviens pas, mais peut-être qu'un des autres a une meilleure mémoire que moi.

Salter quitta le théâtre pour aller souper en solitaire, non sans avoir au préalable relevé les messages de son répondeur. Plus tard, il rejoignit Claud Arbour, qui l'attendait au foyer du théâtre.

— C'est une pièce géniale, commenta le réceptionniste. Merci de m'avoir offert le billet. Désolé, je n'y ai reconnu personne.

— Ni aucun des deux frères, ni le beau-frère ?

Arbour secoua la tête avec détermination.

— Absolument pas. Aucun de ces types ne ressemble de près ou de loin à l'Italien.

— Mais peut-être que c'était quand même l'un d'entre eux et que vous ne l'avez pas reconnu.

— Aucune chance. Je suis sûr que ce n'était aucun d'entre eux. Je l'avais regardé très attentivement parce qu'il avait vraiment l'air d'un escroc.

— Dans ce cas, je suis désolé de vous avoir fait perdre votre temps, mais vous ne m'avez pas fait perdre le mien, en tout cas. Votre aide m'a été très précieuse.

— Ç'a été un plaisir ! Je vous le répète, la pièce était géniale.

◆

Le lendemain matin, Salter décida d'aller à la recherche de Sonia Lewis, la fille hystérique. Elle était toujours au lit après avoir travaillé tard au Keg, restaurant d'une chaîne qui emploie de nombreuses actrices au chômage. Tout d'abord, elle ne lui fut d'aucun secours.

— J'étais sous le choc, lui expliqua-t-elle. Complètement à côté de la plaque.

— Je comprends. Mais avant que vous ne tombiez en état de choc, que s'est-il passé ?

— Nous nous sommes rendues à la chambre de Mary.

— Qui est arrivé en premier ?

— Penny. Nous sommes entrées : Penny tournait et virait en hurlant, et elle m'a poussée dehors, mais j'avais eu le temps de voir Mary complètement étalée, et à partir de ce moment-là, je ne me souviens plus de rien.

— Et après ?

— Après, rien. Je ne me souviens plus.

— Le trou noir ?

— Je crois me rappeler avoir entendu Bill accourir. Oui, c'est ça : Penny s'est précipitée dans l'escalier pour aller téléphoner pendant que Bill m'a attrapée pour me porter jusque dans ma chambre, où je me suis évanouie.

— À quel moment a-t-on précisé qu'elle avait pris des somnifères ?

— Je ne me le rappelle pas : j'étais dans les pommes.

◆

Avant qu'ils n'aillent revoir Penny Wicklow, Salter expliqua à Peterman comment il avait fait chou blanc, sa visite au théâtre n'ayant apporté aucun élément nouveau à leur enquête.

— J'en ai profité pour bavarder un peu avec Turgeon, le seul copain de Hunter. Je me demandais comment ils avaient pu être aussi liés, et la réponse est facile : Turgeon rendait quelques services à Hunter.

— Avez-vous mis la main sur le bookmaker ?

— Pas encore. Alors, comment vous en êtes-vous tirés, hier soir ?

— Nous avons gagné, répondit Peterman, dont les efforts pour avoir l'air modeste furent démentis par un large sourire irrépressible.

— Quelle est votre prochaine étape ?

— Les finales régionales à Kingston, le mois prochain. Il va bien falloir que je sorte du garde-robe…

— Pourquoi donc ?

Une fois encore, Peterman eut un sourire déformé par la fausse modestie :

— Ces épreuves-là sont diffusées à la télévision : n'importe qui pourrait me reconnaître.

— Aurez-vous de gros numéros dans le dos ?

Peterman émit un soupir.

— C'est bien ce que je disais… Vous comprenez pourquoi je reste discret ? Après ça, il va sans doute falloir que je demande à être muté au service des relations publiques.

Matera était lui aussi chez Penny Wicklow ; lorsque Salter lui annonça que Peterman et lui avaient quelques questions supplémentaires à poser à Penny Wicklow, il alla s'asseoir sur le bras du fauteuil où cette dernière était assise et prit une attitude protectrice. Malgré cela, Salter gardait du couple son impression première : la force physique mise à part – et même dans ce domaine, Wicklow semblait plutôt en forme –, ils auraient pu inverser les rôles, tant Penny Wicklow paraissait davantage apte à protéger Matera que l'inverse.

Pendant que les deux acteurs se concertaient pour savoir si Matera devait assister à l'entretien ou non, Peterman lança à Salter un regard inquisiteur puis, comme ce dernier avait d'un signe presque imperceptible signifié que ça lui était égal, il prit la parole :

— Vous n'avez aucune raison de vous en aller, monsieur Matera. Il ne s'agit pas d'un interrogatoire : nous essayons juste d'avoir une vision claire de certains événements.

Sur ce, il leur adressa un large sourire à tous deux puis s'installa dans le trône de contreplaqué, un bloc-notes sur les genoux.

Salter s'assit quant à lui sur une chaise à dossier droit.

— Nous nous sommes intéressés à l'histoire de cette fille qui s'est suicidée. Mary Mikhail, c'est bien ça ? Tout le monde affirme qu'elle était maniaco-dépressive. Disons simplement « dépressive ». Savez-vous quel a été l'élément déclencheur ? ce qui l'a vraiment fait basculer ? Vous habitiez dans la même maison qu'elle. Mais je me disais, et j'espère arriver à le formuler clairement, que vous avez peut-être voulu, lors de l'enquête, en dire le moins possible. Après tout, rien n'indiquait qu'il s'agissait d'autre chose que d'un suicide, mais je me demandais si vous aviez une idée de ce qui avait motivé ce geste, idée que vous auriez gardée pour vous, notamment parce que la saison de théâtre n'allait pas se terminer avant quelques semaines.

— Mais de quoi parlez-vous donc?

— Comprenez bien mon raisonnement: s'il y avait vraiment une raison qui n'a pas été évoquée à l'époque – raison liée à une personne en particulier –, vous auriez pu ne pas la mentionner et vous auriez pu vous mettre d'accord pour la passer sous silence.

— Vous insinuez qu'il y a eu une conspiration?

— Appelons plutôt ça une « communauté de pensée ».

— Et qui s'applique à quoi?

— Aux raisons de l'acte de Mary Mikhail.

Matera ouvrit la bouche pour prendre la parole, mais Wicklow l'interrompit d'un geste.

— Qu'avez-vous en tête, inspecteur?

— Je me demande si elle avait une aventure avec Hunter et si celui-ci l'aurait laissée tomber.

La tension baissa d'un cran. Wicklow fit un signe de tête négatif.

— Pas que nous sachions. Ils n'auraient guère eu l'occasion de se voir.

— Nous en avons trouvé, des occasions, pourtant. Hunter n'allait pas aux courses lors de ses après-midi libres: il allait souvent dans un motel avec une femme.

— Si c'était le cas, je n'aurais pas été au courant.

Matera éleva la voix:

— Il est possible qu'elle ait été très discrète de peur que je ne découvre le pot aux roses et que je ne m'en prenne à Hunter. (Il se frappa la poitrine.) Mais je doute qu'elle ait eu une liaison avec lui.

— Ce n'est pas très important, concéda Salter. Quelques détails de l'enquête me chicotent un peu, c'est tout. Le coroner a omis de poser certaines questions. Par exemple, Mary Mikhail avait-elle l'habitude de consommer des somnifères?

Penny Wicklow jeta un regard à Matera:

— Pourquoi ne pars-tu pas devant moi ? J'en finis avec ces messieurs et j'irai te retrouver après ton entraînement. Pourquoi pas dans ce petit café italien de Bloor Street, de l'autre côté de Major Street ?

Matera se leva et mit son tee-shirt dans son pantalon.

— OK, dit-il avant de se tourner vers Salter. Mary ne prenait pas de pilules quand nous étions ensemble.

— Merci.

Après le départ de Matera, Penny Wicklow reprit la parole :

— Je ne veux pas que vous m'accusiez de ne pas coopérer, et il est difficile de mentir en présence de tout le monde, vous et Johnny. Je suis sûre de me planter quelque part, alors revenons un peu en arrière : ça reste entre nous, d'accord ?

— Tant que ce que vous nous direz n'a aucune incidence sur l'enquête en cours.

— Aucune incidence. La femme qui allait au motel avec Hunter, c'était moi, pas Mary. J'ignore pourquoi elle s'est suicidée, mais si vous creusez cette histoire de motel, vous allez tomber sur une mystérieuse femme qui me ressemble comme une jumelle, alors j'aime autant vous éviter de perdre votre temps. Mon histoire avec Hunter était terminée quelques semaines avant la mort de Mary. Johnny disait vrai : à cette époque-là, je commençais à le fréquenter et Mary et lui étaient sur le point de rompre. Elle ne m'avait rien confié sur l'état de leur relation et naturellement, je ne lui avais pas posé de questions à ce sujet dans la mesure où j'étais en train de le lui voler.

— Avez-vous jamais su si elle prenait des médicaments ? Je crois saisir pourquoi le coroner n'a pas poussé plus loin. Une fois, j'ai eu un zona et le docteur m'a prescrit pendant quelques jours un dérivé de l'opium pour calmer la douleur. Le médecin a ensuite

interrompu le traitement parce que s'il avait renouvelé
l'ordonnance ne serait-ce qu'une fois, je serais devenu
accro. Ça m'est déjà arrivé une fois à l'hôpital, quand
on m'a enlevé la vésicule biliaire. La première nuit,
le chirurgien m'avait donné du Demerol et avait laissé
comme instruction qu'on m'administre un sédatif par
la suite au besoin, mais il y a eu un méli-mélo dans les
directives, de sorte qu'on m'a administré du Demerol
chaque soir pendant une semaine, et c'était génial !
Ça s'est arrêté le jour où le docteur s'en est aperçu.
Ce que je veux dire, c'est que certains coroners se
sont peut-être interrogés sur l'opportunité de prescrire
des barbituriques à une patiente plutôt instable, mais
ils ont pu choisir de ne pas creuser trop cet aspect de
l'enquête si toutefois le médecin traitant de la victime
s'avérait être un de leurs partenaires de bridge…

Toute cette tirade avait pour but de donner à Penny
Wicklow l'occasion de comprendre l'intérêt de coopérer davantage, mais elle demeura silencieuse.

— Vous n'avez remarqué aucun flacon dans la
chambre ?

— C'est exact, je n'en ai pas vu.

— Dans ce cas, comment tout le monde a-t-il pu
savoir qu'elle avait pris des barbituriques s'il n'y avait
aucun flacon de médicaments dans les parages ? intervint Peterman.

— Je l'ignore. Je l'ai simplement supposé, sans
doute. Tout le monde disait qu'elle avait avalé des
barbituriques ; c'est d'ailleurs bien ce que l'autopsie
a révélé, non ?

— Ça n'a probablement aucune importance, conclut Salter en se levant tandis que Peterman glissait
hors de son trône. En tout cas, merci beaucoup d'avoir
éclairci cette histoire de motel. Une chose, cependant :
Matera a-t-il jamais soupçonné que votre liaison avec
Hunter durait toujours ?

Elle fit un signe de dénégation.

— Vous l'avez entendu : il aurait été incapable de garder ça pour lui.

— Mais Hunter est revenu à la charge pendant la pièce.

— Que voulez-vous dire par là ?

— Il ne laissait jamais tomber, hein ?

— En effet. Il n'arrivait pas à croire que je pouvais lui préférer Johnny.

— Quelqu'un vous a vue, au théâtre, le soir où il a commencé à vous peloter et que vous lui avez dit bien fort d'aller se faire voir. On a trouvé votre attitude un peu forcée.

Irritée, Penny Wicklow eut un geste de dédain.

— Vous perdez votre temps là-dessus. Le fait est que je n'avais pas besoin de lui à ce moment-là. Cela dit, essayez de voir les choses comme elles se sont réellement passées : Hunter était un ancien amant, et il se souciait bien moins que moi que tout le monde sache qu'on avait couché ensemble. Connie Spurling mettait désormais le holà à ses activités et Johnny agissait de même avec moi. Hunter redoutait la réaction de Connie si celle-ci l'avait surpris à batifoler et quant à moi, je craignais ce que Johnny aurait pu lui faire, à lui. Quand Hunter est revenu à la charge, j'ai aperçu Johnny à l'autre bout du théâtre avant que j'aie eu le temps de dire calmement à Alec de me fiche la paix, et j'ai eu peur. Je n'avais pas les idées très claires. Je craignais que l'on puisse voir que nous avions déjà été amants ; je me suis donc efforcée d'agir d'une manière qui, c'est ce que je pensais, montrerait clairement qu'il n'y avait jamais rien eu entre nous. J'ai donc décidé de tourner ça un peu à la blague, histoire d'envoyer un message à Hunter et un autre, différent, à Johnny. En réalité, Johnny ne nous avait même pas vus. Je n'avais donc eu aucune raison de paniquer. Je suis vraiment désolée si tout cela a l'air un peu ridicule, mais c'est la vérité, conclut-elle calmement avant d'ajouter : Ce que j'essaie de vous expliquer, inspecteur, c'est que Johnny n'a absolument rien remarqué et qu'il n'avait donc pas besoin d'aller le tuer. D'ailleurs, il était avec moi quand Alec a été assassiné.

Ses propos avaient l'air véridiques. Les mots qu'elle utilisait avaient la force et la cohérence de souvenirs réels. Salter commença à se dire qu'il se retrouvait dans une impasse. Il fit une dernière tentative :

— J'ai rencontré Sonia Lewis, déclara-t-il, improvisant. Elle se rappelait que vous avez tous su tout de suite que c'étaient des barbituriques.

Penny Wicklow leva la main pour le faire taire :

— OK, OK. Seigneur ! (Elle poussa un énorme soupir.) Les pilules étaient à moi. Ce n'est jamais ressorti lors de l'enquête et je n'en ai jamais parlé parce que… Mary était déséquilibrée et je trouvais déjà affreux qu'elle se soit suicidée avec mes médicaments. Je ne voyais pas l'utilité que tout le monde le sache. Ça semble avoir de l'importance maintenant, alors c'est pour ça que je vous en parle.

— C'est vous qui lui avez donné les pilules ? Vous lui en avez donné assez pour qu'elle se tue ?

— Je ne suis pas si irresponsable que ça. Hunter lui avait donné une pilule, une fois, et ça avait eu de l'effet. Je lui en ai donné une autre, juste une seule, quelques jours plus tard. Le lendemain, elle était morte, et quand j'ai vérifié, je me suis rendu compte que mes pilules avaient disparu.

— Vous avez vérifié plus tard ? Vous ne vous en êtes pas aperçue tout de suite ?

— Non. Pas avant que l'hôpital ne donne la cause de son décès.

— Pourtant, vous saviez ce qui s'était produit dès que vous avez vu Mary Mikhail morte, insista Salter. Quelqu'un a prononcé le mot « barbituriques ». Était-ce vous ?

— Sans doute. Qui d'autre ?

— Vous êtes entrée dans la chambre la première. Comment avez-vous réagi quand vous l'avez vue ?

— J'ai hurlé, j'ai fait demi-tour et je me suis cognée dans Sonia, qui était derrière moi.

— Sonia n'est pas entrée dans la chambre ?

— Je l'ai poussée dehors. Après quoi, Bill est venu voir ce qui se passait. Il a emmené Sonia pendant que je descendais appeler les secours.

— Mais vous avez trouvé le flacon de médicaments ?

— Non, et d'ailleurs, c'est un truc qui m'a frappée : le flacon lui-même était toujours dans ma chambre. Mary avait pris les pilules, mais elle avait laissé le flacon. En fait, j'ai juste vu Mary, rien d'autre, et j'ai dû penser instinctivement qu'elle avait pris mes barbituriques. J'ai vérifié, et c'était bien le cas.

Après tout, peut-être n'était-ce pas une impasse.

— Un dernier détail, continua Salter. Quand vous êtes revenus de l'hôpital, quelqu'un est-il remonté dans la chambre de Mary ?

— Bien sûr que non. Les flics étaient toujours là. Ils étaient arrivés juste après l'ambulance, et il y a eu un policier sur place dès le moment où Mary a été transportée à l'hôpital. La police a par ailleurs posé des scellés sur la chambre, qui est restée inaccessible pendant quelques jours.

CHAPITRE 17

— Comment saviez-vous que Hunter continuait de la peloter au théâtre ? demanda Peterman lorsqu'ils furent dans la voiture.

— C'est l'éclairagiste qui me l'a dit. Je suis content de connaître le fin mot de cette histoire.

— En fait, Hunter couchait vraiment avec Mary Mikhail, qui s'est suicidée non pas à cause de Matera mais à cause de lui, c'est bien ça ?

— On dirait bien.

— La prochaine fois que je verrai Matera, je lui en parlerai. Ça va sans doute lui gâcher sa journée… Bien, autre chose, maintenant : les pilules provenaient de Penny Wicklow, n'est-ce pas ? Dans ce cas, pourquoi vous tracassez-vous avec cette histoire de flacon ?

— Comment tout ce petit monde a-t-il su tout de suite qu'il s'agissait de barbituriques ?

— Eh bien, parce que Penny Wicklow a tout de suite repéré le flacon sur la table de nuit de Mary Mikhail et qu'elle s'en est débarrassée avant d'ameuter les autres.

— Pourquoi ne nous l'aurait-elle pas dit ?

— Vous avez entendu les explications qu'elle nous a fournies à propos de la fois où Hunter lui a mis la main aux fesses : elle joue sur plusieurs tableaux en même temps, tout en essayant d'esquiver nos questions.

— Vous avez peut-être raison.

— Désolé de vous demander ça, mais qu'est-ce que tout ce bordel a à voir avec le fait que Hunter a été retrouvé étranglé dans une chambre de motel ?

— Je ne le sais pas encore, mais pour moi, tout est lié. Je pense qu'il y a quelque part un flacon qui a contenu des barbituriques, et que ce n'est pas celui de Penny Wicklow. Je veux mettre la main dessus.

— Bon sang, ça se complique ! Cela dit, nous sommes toujours à la recherche d'un gars de type italien avec une dent en or, et si le jeune réceptionniste a raison, ce n'est ni Adler, ni Matera, ni Walker, alors où en êtes-vous ?

— On va continuer à mettre la pression sur tout ce petit monde. Allons bavarder un peu avec Connie Spurling.

◆

— Connaissiez-vous Mary Mikhail, la femme qui s'est suicidée à Brighton ? demanda Salter à Connie Spurling une fois que les deux policiers eurent été introduits dans le bureau de cette dernière.

— Je ne l'ai jamais rencontrée. Alec n'avait plus besoin de ses services une fois les costumes terminés et ajustés.

— Hunter vous a-t-il dit quoi que ce soit sur son décès ?

— Non. Pourquoi l'aurait-il fait ?

Salter feignit d'être gêné. Peterman, qui comprit le signal, regarda ostensiblement le bout de ses souliers.

— Que croyez-vous avoir découvert, messieurs ? s'enquit Connie Spurling d'un ton impérieux. Il n'y avait rien du tout entre Alec et elle, si c'est ce que vous pensez. Attendez une minute. (Elle sortit un agenda d'un tiroir de son bureau et commença à le feuilleter.) Quand cette femme est-elle morte ? Le 16 août ? Eh bien, ce jour-là, il était avec moi. Nous étudiions son contrat pour *After Paris*.

— Pendant combien de temps lui avez-vous donné de l'argent pour ses dettes de jeu ?

— Il n'a pas toujours perdu. Pas au début, en tout cas. À la fin de l'été, il a commencé à jouer plus gros et à perdre : à partir de ce moment-là, j'ai dû intervenir pour lui sauver la mise.

— Sur quoi pariait-il ?

— Sur n'importe quoi. Il me parlait de matchs de football et de basket-ball, ainsi que de courses automobiles.

— Et tout ça, avec votre argent.

— Pour l'essentiel, oui. Et ils ont fini par le tuer.

— Oui. Et nous essayons toujours de tirer ça au clair.

◆

— Alors, qu'avons-nous appris ?

Peterman était sceptique : il se demandait ce que Salter avait derrière la tête.

— Nous avons appris ce que nous savions depuis le début, c'est-à-dire que Hunter a commencé à perdre après la mort de Mary Mikhail. Maintenant, nous devrions peut-être croire ce que dit Horvarth quand il affirme que Hunter ne jouait pas d'argent. À mon avis, quelqu'un lui soutirait de l'argent.

— Qui ça ? Matera ?

— Une personne qui pensait qu'il avait fourni à Mary Mikhail les pilules qui ont causé sa mort.

— Il lui aurait donc donné les pilules, et elle en aurait pris une surdose. Mais il ne l'a pas tuée, non ? Pourquoi se serait-il soucié d'accusations de ce genre ? Tout le monde le considérait déjà comme un salaud : pourquoi aurait-il donc acheté le silence de quiconque ?

Salter ne répondit rien : il attendait patiemment que Peterman poursuive son raisonnement. Ce dernier hocha la tête.

— Je vois : ce qui lui importait, c'était que Connie Spurling ne sache pas qu'il baisait avec Mary Mikhail. (Il éclata de rire.) Pour cela, il utilisait son argent à elle afin d'éviter qu'elle ne l'apprenne. Très ingénieux ! Mais il nous reste un problème d'identification. Ça ne peut être que Matera, le meurtrier. Avec Wicklow, peut-être. Piégeons-le. On n'a qu'à le déguiser et organiser une séance d'identification avec le gamin.

Pendant un moment, Salter laissa tout ce flot d'informations, vraies ou fausses, décanter dans son esprit.

— Pourquoi aurait-il voulu tuer Hunter ? demanda-t-il à Peterman.

Ce dernier eut tôt fait de réorganiser sa théorie :

— En fait, ce n'est pas une histoire de chantage, mais de vengeance. Wicklow lui a révélé que Mikhail s'est tuée à cause de Hunter.

— Dans ce cas, comment serait-il parvenu à convaincre Hunter de le retrouver dans ce motel ?

— Dieu seul le sait ! Peut-être que c'est Hunter, au contraire, qui l'en a convaincu ?

Salter avait associé Peterman à ses dernières démarches et hypothèses afin de favoriser sa propre réflexion, mais là, il ne le suivait plus :

— Vous étiez là, Peterman. Matera vous a-t-il donné l'impression de mentir ?

— Il est acteur, non ?

— Pendant la représentation, êtes-vous resté éveillé assez longtemps pour le voir jouer ? Vous auriez pu constater qu'il n'était pas si bon que ça.

— Vous savez, monsieur, ce n'est pas de cette façon que nous travaillons, d'habitude. En ce moment même, nous devrions être dans une salle d'interrogatoire en train de cuisiner Matera. Pareil avec Wicklow.

— On en arrivera peut-être là, mais pour l'instant, il y a quelque chose qui nous échappe.

◆

Ce soir-là, assis dans sa cuisine en attendant que son souper décongèle, Salter échafauda de nombreux scénarios : il écartait définitivement l'idée que Hunter ait été mêlé à une affaire de jeu d'argent et se concentrait sur l'hypothèse qu'il avait été tué par vengeance, par exemple par Matera. Ça ne fonctionna pas. Il accordait foi au témoignage du jeune réceptionniste, qui ne l'avait pas reconnu. Il revint finalement à la thèse du chantage – et si ce dernier avait un lien avec la mort de Mary Mikhail et qu'on éliminait tous les suspects improbables, il ne restait plus qu'une seule possibilité. L'unique problème était de savoir comment cette personne avait réussi à imiter avec succès un gangster italien grand et pourvu d'une dent en or. C'est alors qu'une remarque émise par Peterman lui revint en mémoire. Sur ce, il avala son repas, but un bon scotch et alla se coucher.

◆

Le lendemain matin, il évita Peterman : il ne souhaitait pas que les failles de sa théorie fussent trop rapidement mises au jour. D'abord, il téléphona au réceptionniste et lui demanda de venir voir un film. Ensuite, il appela Horvarth pour lui demander de faire circuler un nom par le biais de ses informateurs. Enfin, il relut les premières déclarations de témoins et se rendit compte qu'il avait encore un problème de chronologie à résoudre.

Il n'eut aucun mal à emprunter le film pour lequel il avait été consultant l'été précédent et à organiser une projection dans la salle de conférences du quartier général de la police.

— Ne me posez aucune question, indiqua Salter à Arbour. Il s'agit d'une sorte de séance d'identification, mais dans laquelle vous aurez une petite centaine de personnes à examiner. Faites-moi signe quand vous reconnaîtrez quelqu'un.

Vers le milieu du film, le réceptionniste bondit hors de son fauteuil :

— C'est lui !

— Arrêtez l'image ! ordonna Salter à l'opérateur. Vous en êtes sûr ? ajouta-t-il à l'intention du jeune homme.

— Certain. Regardez la façon étrange qu'il a de traîner son pied quand il court. En plus, il porte le même imperméable. C'est bien lui.

— Parfait, merci, dit Salter en se levant à son tour.

— Je ne peux pas voir comment ça se termine ?

— Vous voulez voir la suite ?

— Bien sûr. Il est plutôt bon, ce film.

Salter tapota l'épaule du jeune homme.

— Je vous laisse : je connais la fin, moi.

Toujours en évitant Peterman, Salter quitta l'édifice en voiture. Il emprunta Bay Street, tourna en direction de l'Annexe et s'arrêta devant la résidence St Bartholomew. Il devinait maintenant la raison pour laquelle Hunter était allé rendre visite à sa grand-tante avant d'aller en découdre avec un gangster. L'homme à la dent en or s'était présenté à la réception de l'hôtel à huit heures du soir, soit au moment même où Hunter était avec la vieille dame.

L'infirmière de nuit avait déjà pris son service : Salter lui demanda une fois encore de se souvenir de la dernière visite de Hunter.

— Je l'ai vu entrer, mais je ne l'ai pas vu sortir, ce qui signifie qu'il est sans doute resté après neuf heures trente et que quelqu'un a appuyé sur le bouton pour qu'il puisse sortir.

— Puis-je monter revoir sa grand-tante ?

— Elle a les idées un peu embrouillées, aujourd'hui.

— Je n'insisterai pas si ma visite semble la perturber, je vous le promets.

— Vous savez où est sa chambre. C'est la 308, au troisième étage. L'ascenseur est là-bas, mais vous serez probablement plus vite en haut par l'escalier.

Salter suivit son conseil. Sur chaque palier se trouvait un panneau indiquant la sortie et placé au-dessus d'une porte extérieure pourvue d'une barre de poussée. Au troisième étage, Salter poussa la porte, qui donnait sur un escalier de secours. Il relâcha la porte : une cale l'empêchait de se refermer complètement. Salter s'avança sur la plateforme métallique d'où partait l'escalier extérieur et lâcha de nouveau la porte : quand celle-ci s'immobilisa, elle resta suffisamment entrebâillée pour que l'on pût glisser ses doigts dans l'ouverture et la rouvrir. La cale qui maintenait la porte consistait en un petit morceau de corde tressée serré, aplati mais assez dur pour remplir son office. Peterman allait être content : sa petite enquête auprès des quincailleries allait peut-être finir par payer.

Peu après, il appela l'inspecteur Corelli pour lui demander de transmettre le message selon lequel l'homme qui s'était fait passer pour un tueur de la Mafia était mort.

◆

— Ainsi, c'était Hunter, conclut Peterman, songeur.

Les deux policiers avaient de nouveau étudié le rapport d'autopsie : tout était là. On n'avait pas accordé beaucoup d'importance aux traces de maquillage, qu'on avait attribuées à la représentation de la veille. Mais le médecin légiste avait par ailleurs noté la présence de petites coupures dans la cavité buccale, très certainement dues à la fausse dent en or qui lui avait entaillé l'intérieur de la bouche quand il avait été frappé au visage. On avait en outre trouvé sur Hunter un couteau suisse pourvu d'un anneau de porte-clés, assez tranchant pour couper du câble de châssis à guillotine.

— Et donc, le tueur pourrait être n'importe qui ? continua Peterman.

— Oui, et ça pourrait même être une femme. Hunter était descendu dans ce motel pour tuer quelqu'un. Nous étions censés découvrir une victime morte étranglée à cet endroit-là, et nous étions supposés chercher du côté de la Mafia pour trouver le tueur. Nous devions également découvrir que le tueur s'était présenté à la réception du motel à huit heures et qu'il avait attendu sa victime pendant que Hunter se trouvait chez sa grand-tante, qu'il n'avait pas quittée avant neuf heures trente.

Peterman essayait d'y voir clair.

— Mais quel que soit l'assassin, il devait avoir compris les plans de Hunter et compris comment il pouvait les tourner en sa faveur. Avons-nous rencontré un suspect assez intelligent pour ça ? Matera est écarté d'office, non ?

— Il n'avait pas besoin de planifier tout ça ni même d'en tirer profit consciemment sur le coup. Tout ce que le meurtrier avait à faire, c'était tuer Hunter pendant que ce dernier essayait de le tuer dans cette chambre de motel, après quoi il a eu tout le temps de réfléchir. La suite pouvait venir à l'esprit de n'importe qui. Il suffisait d'ôter à Hunter ses lunettes noires, sa dent en or, sa casquette et quoi d'autre ?

— Une perruque, probablement. Hunter était blond. Vous vous rappelez ce type qui porte une perruque blonde, dans la pièce ? Le réceptionniste aurait remarqué une coiffure comme celle-là.

— Des gants, aussi. Hunter aurait certainement été prudent. Ça fait pas mal de stock, tout ça. Comment le meurtrier a-t-il bien pu s'en débarrasser ?

— Il l'a peut-être jeté à la poubelle, suggéra Peterman.

— Je ne crois pas. S'il a enlevé tout le déguisement de Hunter, c'est parce qu'il voulait qu'on pense, lui aussi, que c'était l'œuvre de la Mafia. Mais si on avait trouvé dans une poubelle tous ces accessoires de déguisement, on aurait abandonné la piste de la Mafia pour chercher un acteur. Ces accessoires contiennent certainement plein d'indices matériels qui nous permettraient d'établir le lien avec Hunter. Et si le tueur est aussi intelligent qu'il en a l'air, il ne voudrait certainement pas qu'on puisse faire le rapprochement. Je ne crois donc pas que le déguisement ait été jeté : à mon avis, il n'est pas bien loin.

— Où ça ?

— D'instinct, je dirais qu'il est encore dans la voiture. Allons au théâtre pour voir tout le monde après la représentation.

Horvarth rappela Salter moins d'une heure après que ce dernier lui eut transmis sa requête :

— Cette personne doit de l'argent à toute la ville, révéla-t-il. Même à Taber. Il m'a suffi de mentionner son nom à trois contacts. Ils sont tous désireux qu'on les tienne informés, la Mafia y comprise.

— Eh bien, ils savent tout, désormais.

◆

En ce début de soirée, le stationnement situé derrière le théâtre ne comptait que sept ou huit voitures. Les policiers n'eurent aucun mal à trouver la petite auto grise. Salter gara son auto de manière à faire écran entre Peterman et le théâtre pendant que celui-ci entreprenait de forcer le coffre. Après un déclic, ce dernier s'ouvrit brutalement. Peterman fouilla le contenu : il tomba presque immédiatement sur un paquet enveloppé dans un imperméable sombre. Celui-ci contenait une perruque, une fausse dent en or, des lunettes fumées et une casquette à carreaux.

— Maintenant, il ne nous reste plus qu'à attendre, dit Salter. Pouvez-vous refermer le coffre ?

Lorsque celui qu'ils attendaient apparut enfin, cela faisait cinq heures que les deux policiers patientaient dans la voiture de Salter. Ils lui laissèrent le temps de monter dans son auto avant d'aller ouvrir chacun une portière avant.

— Puis-je vous parler un moment, monsieur Turgeon ? lui demanda Salter.

CHAPITRE 18

Turgeon dévisagea Salter sans rien dire.

— Là-bas, dans ma voiture, précisa le policier.

Une fois qu'ils furent tous dans l'auto de Salter, Peterman brandit le ballot qu'il avait découvert dans le coffre :

— C'est à vous, ça ?

— Je n'ai jamais vu ce tas de chiffons. Qu'est-ce que c'est ?

— Nous l'avons trouvé dans le coffre de votre voiture.

— Si vous l'y avez trouvé, c'est sans doute parce que c'est vous qui l'y avez mis.

— Votre avocat sera très certainement de votre avis. C'est pour cette raison que je vais mettre tout ça dans un sac en plastique et voir avec qui les gars du labo vont bien pouvoir établir un lien.

— Je reconnais l'imper d'Alec. Par contre, je ne reconnais pas les autres trucs que vous avez fourrés dans ma voiture.

— Allons à mon bureau, ordonna Salter. Donnez-moi les clés de votre auto : le sergent Peterman va s'en occuper. Vous n'êtes pas près de revenir dans le coin.

◆

Il fallut une heure à Peterman, mais lorsqu'il fit irruption dans le bureau de Salter, il était en possession d'un flacon de médicaments et d'une note. Salter s'empara de cette dernière et la lissa sur son bureau : « Cher Alec, merci pour les pilules. Tu savais ce que je voulais en faire, n'est-ce pas ? Maintenant, je veux que le monde entier le sache. Adieu, Mary. »

L'étiquette collée sur le flacon indiquait que la prescription avait été libellée au nom de Hunter.

— Jolie écriture, commenta Salter. Où avez-vous trouvé cette note ?

— Où l'avez-vous trouvée, vous, vous voulez dire ! Je ne l'ai jamais vue auparavant.

— Et moi qui espérais qu'on opterait pour la méthode rapide, soupira Salter. Nous vous arrêtons pour chantage et meurtre.

— J'admets l'avoir tué, mais c'était de la légitime défense. Il n'a eu que ce qu'il méritait ! Maintenant, je veux parler à mon avocat.

— Pourquoi méritait-il d'être tué ? Parce qu'il ne pouvait pas s'empêcher de baiser tout ce qui passait ? Pour qui vous prenez-vous ? Pour une sorte de justicier ? Turgeon le Terminator ?

— Non, répliqua Turgeon. Parce qu'il avait tué Mary et qu'il s'apprêtait à m'infliger le même sort.

Turgeon en avait dit plus qu'il ne l'aurait souhaité, et cette révélation donnait à Salter l'occasion de révéler le fin mot de l'histoire – qu'ignorait Turgeon.

— Qu'est-ce qui vous permet de conclure qu'il l'a tuée ? Les pilules ? demanda Salter en désignant le flacon. Non, Hunter n'a pas tué Mary. Quand il le lui a donné, ce flacon ne contenait qu'une seule pilule.

Elle a volé les barbituriques de Penny Wicklow et tenté de se venger de Hunter en se tuant et en écrivant cette note dans laquelle elle l'accuse. Vous avez trouvé le flacon et la note, et vous avez tout gobé : vous avez donc commencé à faire chanter Hunter pour rembourser vos propres dettes de jeu. Quand il en a eu assez, il a imaginé un plan pour vous tuer – un plan imparable. D'après son scénario, nous aurions rapidement découvert que vous deviez de l'argent à plusieurs bookmakers : nous en aurions déduit que vous aviez été tué par un homme de main, comme nous l'avons d'abord supposé pour Hunter. Ça a dû être un sacré choc quand Hunter s'en est pris à vous. Ou peut-être pas, d'ailleurs. Vous étiez armé d'un couteau, non ?

— Celui-là, vous avez oublié de le cacher dans mon auto, rétorqua Turgeon.

Il avait repris ses esprits après la surprise qu'il avait éprouvée en apprenant que la note de Mary Mikhail constituait sa vengeance à elle.

Salter poursuivit :

— Nous avons un témoin qui affirme que vous avez suivi Hunter au moins une fois au motel de Brighton. Il peut reconnaître votre voiture. Je ne crois pas que vous fournissiez des alibis à Hunter. Par contre, je crois que c'est à partir de ce moment-là que vous avez commencé à le faire chanter. Vous lui avez fait savoir que vous l'aviez vu et lui avez demandé une poignée de dollars pour acheter votre silence.

— C'est vrai que je suis allé le chercher une fois, admit Turgeon. Connie Spurling avait débarqué à l'improviste, alors j'étais allé à sa recherche pour le prévenir. Je savais à quel motel il allait.

— D'après mon témoin, vous vous êtes contenté de contourner le motel avant de repartir.

— Alec regardait par la fenêtre : je lui ai simplement fait un signe.

Turgeon était de plus en plus à l'aise. Il avait compris qu'il serait très difficile de vérifier son histoire.

— C'est lorsque vous avez trouvé le flacon et la note que vous avez vraiment commencé à le traire. Dix ou onze mille dollars, d'après Connie Spurling.

— Vraiment ? Il doit avoir dépensé beaucoup pour les filles qu'il se faisait. Moi, je croyais qu'il jouait de l'argent.

Peterman se pencha en avant :

— Le paiement final, ce n'était plus de l'argent, mais ce travail. Vous n'êtes pas qualifié pour cet emploi et d'après ce que j'ai entendu, vous n'y excellez pas vraiment. Mais dans son contrat, Hunter a imposé votre embauche comme condition.

La tactique du sergent faillit donner des résultats.

— Qui vous a dit que je ne faisais pas l'affaire ? protesta Turgeon. Je vous assure que je fais du bon boulot, nom de Dieu !

Soudain, il se rendit compte que Peterman l'avait manipulé. Il reprit ses esprits et se tourna vers Salter :

— Dites à ce type de sortir. Je vais vous raconter toute l'histoire, à vous seul.

L'essentiel était fait. Ils avaient enfin mis la main sur l'assassin d'Alec Hunter. Ce qui se produirait au tribunal était une autre histoire, et Salter se rendait bien compte que Turgeon proposait simplement de satisfaire sa curiosité – qui, autrement, pourrait rester insatisfaite à jamais. Salter adressa un signe de tête à Peterman qui, bien que surpris, prit congé sans piper mot.

Turgeon demanda du café, que Salter lui fit apporter. Il prit son temps avant de commencer son récit, apparemment pour réfléchir à la meilleure façon de le formuler afin qu'aucun élément ne puisse être retenu contre lui en cour.

— Tout part de Connie Spurling, déclara-t-il. C'est elle qui est à l'origine de tout. Si elle ne m'avait pas traité comme de la merde, je ne serais peut-être pas entré dans le petit jeu de Hunter et je ne lui aurais peut-être pas fourni d'alibis. Car oui, je lui en ai vraiment fourni. Mais ça me dégoûtait, et je n'aurais rien fait qui puisse la bouleverser.

— Comme ça, ce n'est pas après avoir suivi Hunter au motel de Brighton que vous avez commencé à le faire chanter ?

— Je vous dis la vérité. J'étais bel et bien allé l'avertir que Connie était arrivée plus tôt que prévu.

— Donc, vous aviez commencé par couvrir Hunter comme le ferait un copain…

— Oui, à cause de Connie.

— Bien. Mais à un moment donné, vous vous êtes retrouvé à court d'argent, et vous avez commencé à lui en soutirer.

— Non, vous n'y êtes pas du tout. Ce qu'il m'avait promis, et qu'il a fait, c'est de s'arranger pour que j'aie le boulot à l'Estragon.

— De façon à ce que vous puissiez continuer à couvrir ses petites escapades.

Turgeon considéra Salter d'un air pensif.

— Vous avez probablement raison, mais je n'y avais pas pensé. Vous savez, je n'ai jamais demandé d'argent en échange des alibis. Je l'ai juste fait parce qu'il avait tué Mary Mikhail – enfin… parce que je croyais qu'il l'avait tuée. Il y avait cette note et le flacon vide : que vouliez-vous que je pense ?

— Vous vous êtes donc dit : « Oh ! la belle occasion que voilà ! », puis vous avez empoché la note et le flacon et décidé de le faire chanter.

— Ça m'a pris quelques jours avant d'y arriver. Quelques semaines, même. Je serais incapable de vous dire aujourd'hui ce que j'avais en tête quand j'ai pris la note et le flacon. Sans doute qu'instinctivement, je cherchais encore à le couvrir, parce que de toute évidence, il s'agissait là d'une affaire qu'il n'aurait pas voulu voir s'ébruiter.

— Quand avez-vous décidé de lui mettre de la pression ? Quand avez-vous changé d'avis ?

— Je n'ai pas changé d'avis, je me suis mis en colère. J'aimais bien Mary et ça m'a enragé de penser qu'il avait pu la tuer, simplement pour s'en débarrasser.

Salter s'efforçait de traquer le moindre relent de mensonge, mais Turgeon n'adoptait pas de ton moralisateur et ne recourait à aucun des trucs des menteurs – protestation virulente et réitération emphatique. Salter était donc enclin à le croire.

— Mais de fait, vous aviez réellement besoin d'argent.

— Tout ça, c'est la fameuse histoire de l'œuf et de la poule. Je ne lui en aurais pas demandé si je n'en avais pas eu besoin, mais je ne l'ai pas fait uniquement parce que j'en avais besoin. Je pensais qu'il avait tué Mary, alors je me disais qu'il devait payer pour ça.

— Vous payer, vous.

— Comme vous l'avez dit vous-même, il se trouve que j'avais besoin d'argent.

— Combien lui avez-vous soutiré ?

— Au total ? (Turgeon réfléchit un instant.) Environ dix mille.

Salter estima qu'il disait la vérité.

— Prévoyiez-vous le rembourser un jour ?

Turgeon sourit.

— Pas question. Après tout, c'était Connie qui payait.

S'ensuivit une pause, comme si Turgeon avait fini son récit.

— Que s'est-il donc passé ce soir-là ?

Un long silence s'installa pendant que Turgeon préparait sa relation des événements. Puis il hocha la tête comme pour se rassurer.

— Je l'ai appelé le samedi pour lui dire qu'il me fallait mille dollars.

— Vous êtes plutôt nul pour les paris, on dirait…

— N'est-ce pas? Bref. Alec m'a rappelé le dimanche pour m'annoncer que Connie lui avait donné l'argent. Il m'a précisé qu'on devait se retrouver dans le fameux motel parce qu'il avait l'excuse d'une visite à sa grand-tante pour quitter la maison. Il a ajouté qu'il pensait que Connie le faisait suivre et qu'on devait donc se rencontrer dans un motel sordide pour que ça ait l'air d'une rencontre avec un bookmaker. Il avait l'air tout excité, complètement extatique, et c'est ça qui m'a mis la puce à l'oreille: j'ai tout de suite pensé qu'il essayait de me doubler. Et où allait-elle pouvoir se procurer mille dollars en argent un dimanche, alors que toutes les banques sont fermées? Quand je lui ai demandé un paiement, je lui avais dit que ça pouvait attendre le lundi. Nous avions convenu d'un rendez-vous à huit heures trente. Je devais aller à la réception et demander un certain monsieur Rossano. Selon lui, il ne pouvait pas utiliser son vrai nom pour le cas où quelqu'un reconnaîtrait son visage. Je savais qu'il mijotait quelque chose, mais j'ai acquiescé. Je me suis pointé en avance au rendez-vous, je me suis garé dans un endroit discret et j'ai attendu. J'ai failli le manquer. Il est arrivé vers huit heures, dans l'auto de Connie. Quand je l'ai vu sortir de la voiture dans ce déguisement stupide, je me suis dit que tout ce que j'avais à faire, c'était de suivre son plan pour voir jusqu'où il irait. Ça n'a pas été long. Ce que je n'arrive toujours pas à comprendre, c'est comment il a pu penser qu'il arriverait à me tuer. Je suis deux fois plus fort que lui.

— Peut-être qu'il s'était entraîné, et j'imagine qu'il pensait bénéficier de l'effet de surprise. À qui était le couteau?

— À moi. Je savais que je me jetais dans la gueule du loup.

— Vous l'avez donc d'abord poignardé avant de l'étrangler?

— Non. Je lui ai donné plusieurs coups de couteau, mais il a réussi à retenir mon bras pour m'empêcher de recommencer. Je l'ai donc frappé au visage et là, il s'est évanoui. Je savais qu'il fallait que je le tue parce que c'était allé trop loin et qu'à cause de ça, je ne pourrais plus travailler au théâtre. J'étais sûr que les flics penseraient qu'il s'était fait descendre par une pute ou un maquereau, vu l'endroit. C'est à ce moment-là que j'ai compris que je pouvais m'en tirer encore mieux en faisant croire que c'était l'homme à la dent en or qui l'avait tué. Il me suffisait d'utiliser le scénario qu'il avait imaginé pour me tuer, moi. Et ça aurait pu marcher! Comment avez-vous pensé que l'inconnu n'était autre qu'Alec déguisé et pas un membre de la Mafia?

Salter ignora la question.

— Et donc, vous lui avez ôté son déguisement, puis vous l'avez étranglé?

— Il avait déjà tout enlevé et il m'attendait. Il avait tout enveloppé dans le ballot que vous avez découvert dans mon auto. Sa fausse dent, sa perruque, ses lunettes, sa fausse moustache, tout. Dans sa voiture, il avait une trousse de maquillage dans laquelle j'ai trouvé le démaquillant dont j'avais besoin pour lui.

— Vous l'avez étranglé d'abord?

Turgeon secoua la tête.

— Non: je l'ai d'abord démaquillé. Je ne voulais pas qu'il y ait du maquillage sur le câble. Il était inconscient.

— Vous avez vraiment pensé à tout, hein ?

Turgeon commença à sourire, mais il s'interrompit quand il comprit que le ton de voix de Salter n'était nullement admiratif.

— Ce type avait prévu de me tuer ! protesta-t-il, adoptant cette fois-ci un air outragé.

Et ce fut tout.

— Il va falloir que vous me dictiez une déclaration, dit Salter.

— Ah oui, et pourquoi faire ? rétorqua Turgeon sans même élever la voix. À votre avis, pourquoi est-ce que j'ai demandé à votre copain d'aller se faire voir ? Je ne vous ai rien dit du tout et maintenant, je veux un avocat. Et votre copain peut revenir.

◆

Turgeon faillit s'en sortir impunément. À la barre des témoins, il nia avoir jamais pris d'argent à Hunter et insista sur le fait que ce dernier avait des dettes. Il affirma s'être rendu au motel pour donner à Hunter de l'argent afin que celui-ci remboursât un bookmaker. Selon lui, il lui avait déjà avancé de l'argent. De fait, il déclara même que Hunter lui devait un paquet d'argent. Quand il s'était présenté au motel, Hunter l'avait attaqué, ce qui l'avait contraint à se défendre. Hunter avait un couteau que Turgeon avait réussi à lui arracher, mais Hunter avait ensuite tenté de l'étrangler avec le câble. Au terme de la bagarre, lorsqu'il s'était rendu compte que Hunter était mort, il avait paniqué, bien sûr, mais il s'était ensuite dit que s'il enlevait à Hunter son déguisement, maquillage y compris, la police supposerait qu'il avait été tué par la Mafia – destin que Hunter avait lui-même réservé à Turgeon. Ce dernier avait agi de la sorte parce que bien qu'il se sentît innocent, il était conscient qu'un jury pouvait en décider autrement. À son avis, Hunter avait voulu le tuer pour se débarrasser de sa dette à l'égard de Turgeon, dette qui se chiffrait en milliers de dollars. Il savait Hunter capable d'une telle extrémité, parce que c'était le sort qu'il avait infligé à Mary Mikhail.

— Parlez-nous de la mort de Mary Mikhail, lui demanda l'avocat de la défense.

Turgeon s'exécuta et ajouta en conclusion que c'était par amitié qu'il avait pris le flacon et la note, afin de préserver la réputation de Hunter dans le monde du théâtre et la relation de l'acteur avec Connie Spurling. Il les avait rapidement oubliés.

— Avez-vous révélé à Hunter qu'ils étaient en votre possession ?

— Bien sûr, je lui ai dit que je les avais trouvés dans la chambre de Mary.

— Et vous les avez toujours ?

— Non. Il m'avait demandé de les lui donner, mais j'étais incapable de remettre la main dessus. Je lui ai donc promis que je les détruirais quand je les retrouverais.

Le procureur insinua ensuite qu'il n'avait perdu ni le flacon ni la note, mais qu'il les avait plutôt conservés dans le but de faire chanter Hunter et qu'il avait ainsi extorqué tellement d'argent à l'acteur que celui-ci s'était vu contraint de se débarrasser de Turgeon.

— C'est faux, monsieur, répliqua l'accusé. Je lui avais bel et bien demandé de me rembourser une partie de l'argent que je lui avais prêté, et c'est à ce moment-là qu'il a décidé de prendre les grands moyens pour effacer lui-même sa dette.

À un moment donné, l'avocat de la défense demanda à Turgeon de décrire l'attitude qu'il avait à l'égard de Hunter : Turgeon répondit qu'il lui était extrêmement reconnaissant de l'avoir aidé à obtenir son emploi et que son maintien ou non dans l'équipe quand la compagnie partirait à Chicago dépendait encore de sa recommandation. Quand Hunter avait quitté la troupe, Turgeon s'était retrouvé très vulnérable du fait de son inexpérience dans le domaine et de la grande concurrence qui existait dans le milieu du théâtre.

Il fut impossible d'apporter la preuve que Hunter n'était pas poursuivi par des bookmakers, de même qu'il fut impossible de contredire Turgeon lorsqu'il affirma qu'il n'avait jamais joué d'argent. Horvarth fut incapable de dénicher un bookmaker désireux de venir témoigner en cour. L'accusation fut renforcée par le seul fait que le jury trouvait difficile à avaler que Turgeon ait jugé nécessaire d'étrangler Hunter par légitime défense, et ce, après l'avoir poignardé. Son avocat fit observer qu'il ne saurait être question de préméditation et que, de toute façon, Turgeon estimait avoir besoin que Hunter le pistonne pour pouvoir travailler à Chicago. Assez ironiquement, Perry Adler témoigna en sa faveur : il affirma que Turgeon était un très bon régisseur et qu'il ne devait aucunement son emploi à l'influence de Hunter. Turgeon fut condamné à deux ans d'emprisonnement pour homicide involontaire.

Après le procès, Salter, Peterman et Marinelli évoquaient l'affaire en buvant un café :

— C'était juste une intuition, c'est ça ? demanda Peterman à Salter.

— Un ensemble de petites intuitions, plutôt, répondit ce dernier. Tout d'abord, il s'en est trop longtemps tenu à la version selon laquelle Hunter s'adonnait à des jeux d'argent, alors qu'il était trop proche de lui pour ignorer que ce n'était pas le cas. Après quoi il a affirmé que Brighton était une trop petite ville pour qu'on y trouve ne serait-ce qu'un bookmaker. Comment l'aurait-il su s'il n'avait pas été joueur lui-même ? Par ailleurs, le détail qui m'a chicoté quand je me posais des questions sur les médicaments, c'est qu'il était le seul à dire qu'il n'était pas rentré dans la chambre de Mary Mikhail. Vous pouvez vraiment croire, vous, qu'une personne voyant cette jeune femme étendue sur son lit, et peut-être morte, resterait sur le pas de la porte ? (Salter consulta un papier.) Tout cela suffisait déjà, et la liste continuait à s'allonger. Mais évidemment, pendant un bon moment, le problème était qu'il ne collait pas à la description de notre fameux Italien à la dent en or. C'est Dick, ici présent, qui a éclairci ce mystère.

— Quand ça ? répliqua Dick Peterman, stupéfait.

— Quand vous avez émis l'hypothèse que c'était peut-être Hunter qui avait convaincu le tueur de venir le rejoindre au motel.

— C'était juste une idée comme ça, dit Peterman, modeste. Je ne me rappelle même pas l'avoir dit, ajouta-t-il en souriant.

— Mais comment avez-vous établi le lien entre la mort de la fille et celle de Hunter ? demanda Marinelli. Encore une intuition ?

— En quelque sorte. J'ai compris que les deux affaires étaient liées quand je me suis rendu compte que Hunter avait commencé à avoir des dettes après la mort de Mary Mikhail.

Marinelli s'appuya contre le dossier de son fauteuil et considéra les deux autres policiers tour à tour.

— Si vous n'aviez pas trouvé le déguisement dans sa voiture, vous auriez été dans la merde.

— Nous savions que c'était lui qui avait tué Hunter. On aurait bien fini par le prouver. Le sergent Peterman l'aurait cuisiné pendant quelques jours. N'est-ce pas, Dick?

— Ouais, il faut parfois insister un peu.

Lorsqu'il rendit compte du déroulement de l'enquête au chef adjoint, Salter mit un point d'honneur à mettre l'accent sur la contribution de Horvarth: il détecta chez Mackenzie un léger fléchissement qu'il interpréta comme le signe probable que Horvarth pourrait retourner à l'escouade des jeux après une pénitence raisonnable aux relations publiques – interprétation dont il s'empressa de faire part à l'intéressé.

Plus tard, Ranovic passa voir Salter à son bureau. Après qu'ils eurent parlé en long et en large de l'affaire Hunter, Salter changea de sujet:

— Alors, ça s'arrange, côté vie privée?

— D'une certaine manière, oui. Ma conjointe a fait une fausse couche il y a deux jours. C'est d'ailleurs pour ça que je venais vous voir.

— Seigneur! Je suis désolé.

— Merci. Mais elle va bien. Je croyais que c'était la fin du monde. Je voulais l'emmener aux Antilles pendant deux ou trois semaines pour qu'elle se remette, mais elle a vraiment bien encaissé le choc. D'après elle, ça arrive à beaucoup de femmes. On aurait dit ma grand-mère! Mais le bon côté de la situation, c'est qu'on va se marier. Parce que maintenant, je n'ai aucune autre raison de l'épouser que le seul fait d'en avoir envie. Vous comprenez? Et quant à elle, elle trouve que c'est une bonne chose. Nous envisageons d'avoir un bébé dès que possible.

— Va-t-elle rester à la maison pour s'en occuper?

— Nous n'avons pas encore décidé. Nous allons tous deux demander un congé parental.

— C'est possible, ça, dans la police ?

— Si ça ne l'est pas encore, ça va le devenir, croyez-moi. Notre gouvernement met vraiment le paquet sur la politique familiale. Vous viendrez à mon mariage ?

— Bien sûr. Dites-moi simplement à quoi je dois m'attendre.

Trois semaines plus tard, Annie rentra à la maison. L'état de son père était stationnaire. Les médecins prévoyaient qu'il s'améliorerait un peu grâce au traitement, mais le vieil homme ne pourrait probablement pas redevenir autonome – Annie l'avait installé dans une maison de soins infirmiers. Quant à Angus, il allait rester chez sa grand-mère.

— Et sa copine ?

— Elle aussi, elle reste avec Mère.

— Ta mère est prête à jouer le rôle de chaperon ?

— Ils couchent dans la même chambre.

— Dans la maison familiale ?

— Angus a abordé le sujet franchement avec Mère dès qu'il a décidé de rester avec elle. Quant à mes frères, ils sont aux petits oiseaux à l'idée qu'un mâle de la génération suivante s'intéresse aux affaires de la famille. Ils l'ont adopté, et je crois bien qu'il va rester sur l'Île. Mère est ravie, elle aussi. Et elle se fout complètement de la morale.

— Tu veux dire qu'il lui a simplement dit qu'il allait dormir avec Linda et que ta mère a seulement répondu : « Mais bien sûr, mon petit » ?

— Plus ou moins, oui.

— Seigneur ! Elle est vraiment prête à tout ! Elle ferait n'importe quoi pour qu'on reste près d'elle. Elle sait qu'elle perd son temps avec moi, alors elle accepte Angus à n'importe quelle condition, même s'il s'agit d'une petite amie à domicile. Eh bien! Les vieilles valeurs des Maritimes en prennent un sacré coup… soupira Salter, sarcastique.

— On pourrait voir les choses de bien d'autres façons, le reprit Annie.

— Je sais. Désolé. J'ai visité une résidence d'aînés. Je sais ce qu'elle ressent. Mais je ne me trompe pas quand je dis qu'elle voudrait tous nous avoir à sa botte, non?

— Non, admit Annie.

— Ah! Tu vois?

— Bon. Et Seth, comment va-t-il?

— Aussi heureux qu'une huître, ici, à Toronto.

— Et ton boulot, ça a bien été?

Salter lui raconta l'enquête qu'il venait de mener avec succès, puis conclut en lui déclarant qu'il souhaitait regarder la télévision le samedi après-midi suivant, car on y diffusait la finale du concours de tango auquel Peterman était inscrit.

— Et toi? demanda-t-elle. Tu es allé danser, toi aussi?

C'était là une question étrange qui aurait dû lui mettre la puce à l'oreille.

— Non, pourquoi? Danser, moi?

— Je me demandais juste si la femme que tu as emmenée aux chutes Niagara dansait, elle aussi.

— Qui donc t'a raconté ça?

— Mary Sacher. Elle m'a appelée pour me demander si je connaissais quelqu'un qui aurait un chalet à louer pour passer l'été sur l'Île. Elle en a profité pour me raconter tous les potins. Quelqu'un t'a vu aux chutes Niagara avec une inconnue.

— Ah. Ouais. Bon. Eh bien, j'allais justement t'en parler…

ERIC WRIGHT...

... est l'un des auteurs de fiction policière les plus honorés au Canada puisqu'il a, notamment, été quatre fois lauréat du prix Arthur-Ellis. En 1984, il a gagné avec son premier roman mettant en scène Charlie Salter, *La Nuit de toutes les chances*; il a récidivé deux ans plus tard avec *Une mort en Angleterre*. Il a aussi mérité le prix dans la catégorie nouvelle pour « À la recherche d'un homme honnête » (1988) et « Un tiens vaut mieux que deux tu l'auras » (1992). Outre les toujours populaires aventures de Charlie Salter, Eric Wright tient la chronique des aventures d'une détective, Lucy Trimple Brenner, et d'un policier à la retraite de Toronto, Mel Pickett. Eric Wright, qui est né en 1929, a publié en 1999 un volume de mémoires intitulé *Always Give a Penny to a Blind Man*.

EXTRAIT DU CATALOGUE

MORT À L'ITALIENNE
est le cent trente-neuvième titre publié
par Les Éditions Alire inc.

Il a été achevé d'imprimer
en octobre 2008 sur les presses de

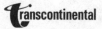

Imprimé au Canada par
Transcontinental Métrolitho

Imprimé sur Rolland Enviro 100, contenant
100% de fibres recyclées postconsommation,
certifié Éco-Logo, Procédé sans chlore, FSC
Recyclé et fabriqué à partir d'énergie biogaz.